P9-ECW-312

PEQUEÑAS HISTORIAS PARA ANTES DE DORMIR

Cuentos, fábulas y leyendas

Título original:
Les Nouvelles Histoires du soir. Contes, fables e légendes

Primera edición: noviembre de 2008

© 2007 Éditions Gründ
© 2008 Libros del Atril S. L., de esta edición
© 2008 Susana Andrés, de la traducción
Av. Marquès de l'Argentera, 17, Pral.
08003 Barcelona
www.piruetaeditoral.com

Impreso por Brosmac S. L.
ISBN: 978-84-96939-64-6
Depósito legal: M. 47.475-2008

PEQUEÑAS HISTORIAS PARA ANTES DE DORMIR

Cuentos, fábulas y leyendas

Traducción de
Susana Andrés

pirueta

Sumario

Sumario

Cuentos de aquí y de allá ... **145**

Historias favoritas 293

Travesuras y buenas lecciones 365

Cuentos de hadas encantadas

Piel de Asno

Basado en un cuento de Charles Perrault

Había una vez un rey que era el más feliz de los hombres. Su reino vivía en paz y sus súbditos lo querían. Su esposa era tan bella como virtuosa y su hija, tan espléndida como la madre. Ese rey poseía en sus establos un asno al que tenía un cariño especial, pues, en lugar de manchar la paja donde dormía, tenía la singular virtud de cubrirla de monedas de oro.

Un día, la reina fue víctima de una enfermedad incurable. Consciente de que se aproximaba su última hora, llamó a su esposo y le dijo:

— Mi señor, prometedme que os volveréis a casar con una princesa más hermosa que yo.

Tras la muerte de la reina, los grandes señores de la corte pidieron al monarca que volviera a casarse para dar un heredero a su reino. Así que el rey, aunque invadido por la tristeza, envió a sus caballeros en busca de la perla rara.

Cada día se recibían encantadores retratos de princesas casaderas, pero ninguna superaba en belleza a la reina desaparecida. Sólo su hija, la princesa, la igualaba. La frescura de su tez y su juventud convencie-

ron al monarca de que debía casarla. La joven princesa, asustada ante

esta propuesta, que le parecía terrible, se arrojó a los pies de su padre

suplicándole que desechara tal idea. Como él se mantuvo firme en su

decisión, al caer la noche la princesa acudió a su madrina, el hada de las Lilas, para confiarle sus cuitas.

El hada la escuchó largo tiempo:

—Querida niña, di a tu padre que aceptas casarte si te ofrece un vestido del color tiempo.

La princesa siguió el consejo de su madrina; pero el rey amedrentó tanto a sus sastres que éstos aparecieron poco después con un precioso vestido color azul cielo y bordado de aves multicolores.

El hada le sugirió entonces que pidiera un vestido de color luna. Al día siguiente, los costureros del rey presentaron a la princesa un vestido de una blancura resplandeciente.

A continuación, la joven pidió un vestido color sol. Pero gracias a las joyas que el rey les había confiado, los sastres confeccionaron un vestido todavía más bonito que los precedentes. La princesa estaba desesperada. El hada, por su parte, no se daba por vencida:

—Pide al rey la piel de ese asno al que tanto quiere. No se atreverá a matarlo y tú estarás a salvo.

La princesa corrió al encuentro de su padre, que se quedó perplejo al oír lo que quería la hija. Sin embargo, no vaciló ni un solo instante y, a la mañana siguiente, la princesa recibió la piel del pobre animal.

—No desesperes —la consoló enseguida el hada de las Lilas—, cúbrete con esta piel de asno y abandona el palacio lo antes posible. Aquí tienes una varita mágica que te permitirá recuperar cuando lo desees tu arcón con los vestidos y las joyas.

La princesa besó a su madrina y escapó esa misma noche. Se había embadurnado las mejillas de hollín e iba disfrazada con la fea piel del asno. Cuando el rey se enteró de que su hija había huido, mandó a más de mil soldados en su busca, pero todo fue inútil. La joven princesa ya estaba lejos.

Había encontrado refugio en una granja donde se precisaba de una mozuela que se ocupara del rebaño de pavos. Allí todos se burlaban de la piel de asno que llevaba, tan sucia y repugnante.

Por la noche, sin embargo, cuando nadie la veía, la princesa se encerraba en su triste cuarto, al fondo de un sombrío paseo. Se quitaba la piel del asno, se lavaba el rostro y las manos, se empolvaba los cabellos y se vestía con uno de los magníficos vestidos mientras suspiraba.

Un día, cuando Piel de Asno descansaba en su habitación, el hijo del monarca del reino vecino visitó la granja. Mientras paseaba por el jardín, una pequeña puerta atrajo su mirada. Lleno de curiosidad, miró por el agujero de la cerradura y descubrió a la muchacha más bonita que había visto hasta entonces.

Trastornado, preguntó a la granjera quién se alojaba en el cuarto que había al fondo del paseo.

—Es una pobre mozuela que se llama Piel de Asno y que hemos recogido.

El príncipe regresó a palacio preocupado. La imagen de la joven no lo abandonaba y persistía tanto y con tanta intensidad que acabó enfermando de amor y negándose a comer.

Los médicos no sabían qué hacer. Así que la reina preguntó a su hijo cómo podría aliviar su sufrimiento.

—Me gustaría que Piel de Asno me hiciera un pastel —contestó.

Sorprendida ante esta respuesta, la reina fue a informarse acerca de esa Piel de Asno y ordenó que le preparase un pastel. Sucedió, sin embargo, que al amasar la masa del pastel a la princesa se le cayó, desa-

fortunadamente, uno de sus más hermosos anillos. En cuanto el pastel estuvo a punto, lo entregó a un oficial.

Sólo con ver el pastel, el príncipe se lanzó a comérselo con avidez. En eso estaba cuando descubrió el anillo y lo besó. Dado que desconocía cómo volver a encontrar a la dueña de la joya, el joven cayó gravemente enfermo y la fiebre se adueñó de él.

No sabiendo qué más hacer, los médicos declararon que el príncipe se encontraba enfermo de amor.

—Hijo mío, danos el nombre de la mujer a quien amas —suplicó la reina—, sea quien sea.

—Aquella en cuyo dedo se ajuste este anillo será mi esposa —respondió el príncipe.

El rey, tranquilizado por la belleza de la joya, envió a sus heraldos por todo el reino en busca de la futura esposa. Las princesas llegaron las primeras; después las duquesas y las marquesas; pero ninguna tenía un dedo tan fino. Siguieron las doncellas, cocineras y pastoras, que también se probaron, inútilmente, el anillo.

—¿Habéis convocado a esa Piel de Asno que me preparó el pastel? —preguntó el príncipe, inquieto.

El estallido de risa fue general. Sin embargo, el rey había dado su palabra: todas las mujeres del reino debían probarse el anillo.

Ese día, la princesa se había peinado con mayor esmero que de costumbre y se había puesto el vestido color sol. Cuando oyó que el oficial golpeaba su puerta, se cubrió a toda prisa con la piel de asno y lo siguió. Al llegar al palacio, la joven muchacha fue el hazmerreír de todos los presentes, pero extendió su blanca mano y el príncipe ajustó el anillo al dedo sin la menor dificultad. La piel de asno se deslizó entonces de los hombros de la princesa y ésta apareció con un vestido que superaba en belleza a los de las damas de la corte. Al instante, el príncipe se arrodilló y le pidió que se casara con él.

En ese momento, el techo del gran salón se abrió y apareció el hada de las Lilas, que contó la historia de la princesa.

El rey y la reina, complacidos con la elección del príncipe, enviaron inmediatamente una invitación a los señores de los reinos vecinos y lejanos. El padre de Piel de Asno, que se había vuelto a casar con una reina muy hermosa, acudió a dar su consentimiento a la joven y a pedirle perdón.

La boda fue espléndida y la joven pareja recibió una infinidad de regalos. Dicen que el amor que los unió todavía duraría si no hubieran muerto cien años más tarde.

La nave voladora

Cuento ruso

S ucedió un día que el zar mandó anunciar que daría a su hija en matrimonio a quien fuera a buscarla en una nave voladora. Vania, un joven campesino, decidió probar suerte. Su madre metió un mendrugo de pan duro en una bolsa y se la tendió. El joven partió y, por el camino, se encontró con un anciano en el lindero del bosque.

—Llevo tres días sin comer nada —dijo a Vania.

—Sólo tengo pan duro —respondió con timidez el muchacho—, pero gustosamente te lo ofrezco.

Vania abrió su bolsa y vio que ¡estaba llena de pasteles!

—¿Adónde vas? —le preguntó el anciano.

—¡A casarme con la hija del zar!

—¿Pero dónde está tu nave voladora?

—No la tengo —respondió Vania con pesar.

—No te preocupes —dijo el anciano—. Cuando estés en el corazón del bosque, golpea un árbol con tu bastón y échate al suelo. El barco se construirá solo. Invita a los hombres que encuentres por el camino a que se suban, pues te serán de utilidad…

El joven reemprendió la marcha. Cuando estuvo en el corazón del bosque, golpeó un árbol con el bastón y se echó al suelo. Se oía un escándalo terrible. Cuando de nuevo se impuso el silencio, Vania vio una nave magnífica, con todas las velas izadas.

Saltó a cubierta y emprendió el vuelo. Recorrió de este modo varios lugares y divisó un día, abajo, a un hombre que saltaba sobre una pierna mientras se apoyaba la otra en el cuello.

—¿Por qué no caminas sobre las dos piernas?

Porque con un solo paso ¡llegaría al otro lado del mundo!

—¡Vente conmigo, Gran Zancada!

El hombre saltó a cubierta y los dos prosiguieron la marcha. De repente, vieron a un hombre que apuntaba con su fusil un objeto invisible.

—¿A qué estás apuntando? —le preguntó Vania.

—¡A un gorrión que vuela en las antípodas! Mi vista es excelente.

—¡Vente con nosotros, Buen Ojo!

El hombre saltó de inmediato a cubierta y los tres prosiguieron la marcha.

—¿Qué escuchas? —preguntó Vania a un hombre que tenía la oreja pegada al suelo.

—Cómo crece la hierba —respondió—. Tengo un oído muy fino.

—¡Vente con nosotros, Oreja Fina!

El hombre saltó a cubierta y prosiguieron la marcha.

—¿Adónde vas tan deprisa? —preguntó Vania a un hombre que empujaba una carretilla llena de hogazas de pan.

—A buscar comida —respondió, apresurándose.

—¡Pero si tienes la carretilla llena! —exclamó Vania sorprendido.

—¡Necesito veinte como ésta para calmar el hambre!

—¡Vente con nosotros, Insaciable, pero no nos comas!

Y el hombre saltó a cubierta.

—¿Qué estás haciendo? —preguntó Vania a un hombre inclinado sobre la superficie de agua de un estanque.

—¡Tengo mucha sed! —suspiró el otro.

—Bebe un poco de agua, ¡tienes muchísima delante de ti!

—¡No es suficiente! Tengo tanta sed que podría beberme el océano todo entero.

—¡Vente con nosotros, Sediento!

Y el hombre saltó a cubierta.

—¿Acaso te estás comiendo el sombrero? —preguntó Vania a un hombre que se había metido la *chapka* en la boca.

—¡Qué va! Sólo quiero cubrirme la boca. Mi aliento está tan frío que lo hiela todo a mi alrededor.

—¡Vente con nosotros, Soplador!

Y el hombre saltó a cubierta.

—¡Tócanos una canción!!
—dijo Vania al hombre que llevaba un tambor sobre el vientre.

—¡Imposible! En cuanto gol-
peo el tambor salen del instrumento regimientos enteros de
soldados.

—¡Vente con nosotros, Batería!

Y el hombre saltó a cubierta.

Con sus siete compañeros,
Vania sobrevoló el patio del palacio. El zar levantó la vista y
empalideció. Amaba mucho a su
hija y quería conservarla a su lado.
«Voy a pedir a ese canalla que haga
cosas tan difíciles que se le quitarán

las ganas de casarse», pensó.

—He ordenado que os preparen un tentempié —dijo el zar con un tono acaramelado—. Coméoslo todo porque, en caso contrario, no os concederé la mano de mi hija.

En el comedor, unas mesas inmensas rebosaban de manjares y de toneles de vino. En pocos minutos, Insaciable se lo tragó todo y Sediento se bebió el vino.

—Querría la manzana dorada del árbol que se encuentra al otro lado del mundo –declaró el zar furioso—. La necesito esta misma noche.

Dicho esto, se frotó las manos al pensar que era un deseo irrealizable. Gran Zancada se desató la pierna que llevaba al cuello, dio un paso y se detuvo junto al árbol de las manzanas de oro. Como disponía de tiempo suficiente, se acostó y se hundió en un sueño tan profundo que, al llegar la noche, todavía no había regresado.

—¿Qué le habrá sucedido? —se preguntó inquieto Vania.

—Nada —dijo Buen Ojo mirando a lo lejos—, se ha dormido.

Tomó su fusil y apuntó. Una bala alcanzó el rabo de una manzana que cayó sobre la cabeza de Gran Zancada. Éste se despertó sobresaltado y, con un paso, llevó el fruto dorado al palacio.

«¡Voy a hacer que los arrojen a un horno!», pensó el zar enojado. Pero Oreja Fina lo oyó pensar. En el instante en que los arrojaban al fuego, Soplador se sacó la *chapka* de la boca y las llamas se transformaron en hielo.

El zar pataleó y echó pestes contra ellos: «Puesto que es mi deber, mandaré que se celebre la boda, pero cuando estos piojosos embarquen en la nave con mi hija, lanzaré mi ejército al abordaje y la recuperaré!» Oreja Fina lo oyó pensar y previno a Batería. En el momento en que el ejército del zar emprendía el asalto, golpeó su tambor. Del instrumento salieron numerosos soldados que aplastaron al ejército enemigo y apresaron, a continuación, al zar y toda su corte. Vania se convirtió en un soberano muy bueno, asesorado con sensatez por sus siete amigos, y vivió feliz con la hermosa princesa.

Pulgarcito

Basado en un cuento de Charles Perrault

Había una vez un leñador y su esposa que eran muy pobres y tenían siete hijos, pero ninguno de ellos podía ayudarles todavía en sus tareas. Además, el benjamín de todos guardaba casi siempre silencio, lo que les apenaba mucho. Cuando

este niño vino al mundo, siete años atrás, no era mayor que un pulgar y, por esta razón, lo llamaban Pulgarcito. Él era el que pagaba siempre los platos rotos en la familia y, sin embargo, era, con diferencia, el más educado y más listo de los hermanos.

Un año, la hambruna fue tan grande que el pobre leñador decidió separarse de sus hijos, a los que no podía alimentar. Así que una noche, cuando los niños dormían, se acercó a su mujer, que estaba junto a la chimenea, y le contó apenado que abandonaría a sus hijos en el bosque al día siguiente.

Pulgarcito, que no había conciliado el sueño y estaba fuera de la cama, escuchó la conversación. Pasó la noche reflexionando sobre qué podía hacer.

A la mañana siguiente saltó de la cama y corrió al río. Allí se llenó los bolsillos de guijarros blancos y regresó rápidamente a la casa. La familia no tardó en estar lista para salir.

Como era de costumbre, se internaron en el bosque. A lo largo del camino, Pulgarcito iba arrojando discretamente las piedras. Cuando lle-

garon al corazón del bosque, el leñador y su esposa se pusieron a trabajar. Al cabo de una hora, viendo que sus hijos estaban ocupados reuniendo haces de leña, huyeron por un pequeño sendero escondido.

En cuanto se dieron cuenta de que estaban solos, los niños se pusieron a llorar desconsoladamente; pero Pulgarcito los tranquilizó:

—No tengáis miedo, hermanos míos, nuestros padres nos han dejado aquí, pero os prometo que os llevaré a casa enseguida.

Siguiendo los guijarros blancos que había lanzando el benjamín, los siete hermanos regresaron a su casa por el mismo camino por donde se habían marchado. Se acercaron a ella y, sin atreverse a entrar, apoyaron la oreja en la puerta para escuchar lo que decían sus padres en ese instante.

De vuelta a casa, el leñador y su esposa se enteraron de que el señor del pueblo les había pagado una vieja deuda de diez escudos que les había devuelto la vida, pues se morían de hambre. Sin embargo, no dejaban de llorar y de reprocharse haber abandonado a sus hijos.

Entonces los siete hermanos gritaron detrás de la puerta:

—¡Aquí estamos! ¡Estamos aquí!

La madre corrió a su encuentro y los abrazó. El leñador, lleno de remordimientos, les dio de comer toda la carne que quedaba.

Desgraciadamente, la alegría del reencuentro sólo duró el tiempo que duraron los diez escudos. En cuanto se gastó el dinero, el leñador y su mujer tomaron la resolución de abandonar de nuevo a sus hijos en el bosque.

Pulgarcito, que había oído a sus padres, decidió actuar del mismo modo que la vez anterior. Sin embargo, cuando se levantó muy pronto por la mañana para ir a buscar guijarros al río, se percató de que la puerta estaba cerrada con doble vuelta de llave. ¿Qué hacer?

En cuanto el leñador les dio un trozo de pan para desayunar, decidió guardarlo y arrojar las migas a lo largo del camino. El leñador y su esposa los condujeron al rincón más escondido del bosque. Detrás, Pulgarcito iba arrojando las miguitas de pan sin que nadie lo viera.

Al abandonarlos sus padres, fue en busca de las miguitas; ¡pero los pájaros se las habían comido todas! Anochecía y los niños se refugiaron bajo un haya, que Pulgarcito escaló para escrutar el horizonte. A lo lejos se distinguía una luz.

Caminaron largo tiempo en dirección a la luz. Salieron por fin del bosque y descubrieron una casita, así que golpearon tímidamente la puerta.

—¿Qué hacéis aquí, tan entrada la noche? —preguntó asombrada la mujer que les abrió.

—Nos hemos perdido en el bosque, señora. ¿Podría ofrecernos su hospitalidad por esta noche? —le pidió Pulgarcito.

—¡Ay, pobrecitos niños! —exclamó la mujer, que, al verlos tan amables, se puso a llorar—. ¡Ésta es justamente la casa del ogro que devora niños!

—¿Y qué podemos hacer, señora? —replicó Pulgarcito temblando de miedo—. Los lobos nos comerán si nos quedamos en el bosque.

Pensando en que podría esconderlos hasta la mañana siguiente, la audaz mujer los invitó a calentarse ante un gran fuego. De repente, los siete hermanos oyeron que el ogro daba tres fuertes golpes en la puerta. Su esposa los escondió a toda prisa bajo una cama y fue a abrir.

El ogro pidió la cena y el vino, y se sentó a la mesa.

Engulló todo un cordero crudo, al tiempo que se paraba de vez en cuando para husmear de izquierda a derecha.

—¡Huele a carne fresca! —gruñó de golpe.

—¿No será el cordero que acabo de preparar? —sugirió tímidamente su esposa.

—¡Digo que huele a carne fresca! —repitió el ogro y, sin dudarlo ni un segundo, corrió al otro extremo de la habitación, donde descubrió a los siete niños aterrorizados.

—¡Es que no puedes esperar a mañana para degollarlos? —gritó su mujer al verlo blandir un cuchillo—. Ya tienes un ternero, un cordero y medio cerdo para esta noche.

—Tienes razón –convino el ogro—, dales bien de comer para que no adelgacen y acuéstalos.

El ogro tenía siete hijas de la misma edad que los hermanos, que prometían convertirse en verdaderas ogras, pues ya mordían a los niños pequeños para chuparles la sangre.

Su madre las había acostado temprano y, como cada noche, les había colocado una pequeña corona. Una vez concluida la cena, instaló a los niños en una gran cama, en la misma habitación que sus hijas, y después se fue ella a acostar.

Pulgarcito no podía dormirse. Temía que el ogro se arrepintiera de no haberlos degollado esa misma noche. Entonces se levantó, tomó las gorras de sus hermanos y la suya, y las puso sobre la cabeza de las princesas, en lugar de las coronas. Después colocó las coronas sobre la cabeza de sus hermanos y la suya.

Hacia medianoche, el ogro se levantó y se dirigió a la cocina para coger su cuchillo grande.

Se aproximó a tientas a la cama de los muchachos, colocó las manos sobre las cabezas y sintió las coronas de oro:

—¡Insensato! —exclamó—. Estaba a punto de matar a mis propias hijas.

Corrió a la otra cama y tocó las gorras.

—¡Aquí están los críos! ¡Pongamos punto final a la tarea!

Y diciendo esto, cortó sin la menor vacilación el cuello de sus siete hijas. Después, se volvió a acostar.

—En cuanto Pulgarcito oyó el sonoro ronquido del ogro, despertó

a sus hermanos y los apremió para que lo siguieran. Uno tras otro saltaron al jardín y escaparon.

Al día siguiente por la mañana, el ogro dijo a su esposa:

—Ve a preparar a los pequeñajos de ayer noche.

Cuál no fue la sorpresa de la mujer cuando llegó al umbral de la habitación: sus hijas yacían sobre la cama, degolladas. Lanzó un grito y se desmayó. El ogro subió los escalones de cuatro en cuatro y contempló el triste espectáculo.

—¡Ay, mis hijas! ¿Qué he hecho? —exclamó—. ¡Esos desgraciados me las pagarán!

Se calzó las botas de las siete leguas, que le permitían cruzar los ríos y las colinas tan fácilmente como un gigante. Los niños sólo se encontraban a cien pasos de su casa, pero, cuando lo vieron llegar se escondieron en los huecos de un peñasco. Justo en el mismo en que se detuvo a descansar el ogro. Se durmió en seguida, y los niños, asustados, no se atrevieron a salir.

Pulgarcito dijo entonces a sus hermanos que entraran en la casa, y después se acercó al ogro, que seguía durmiendo. Tiró con cuidado de las botas y se las puso. Como eran mágicas tenían la propiedad de adaptarse al pie que las calzara. Pulgarcito respiró hondo y emprendió el camino que conducía a la casa del ogro. En unas pocas zancadas ya estaba allí. Se acercó a la esposa del ogro, que lloraba sentada junto a sus hijas degolladas.

—Su marido corre un gran peligro, señora –le dijo—. Una banda de ladrones lo ha sorprendido y ha jurado que lo mataría si no entregaba toda su fortuna. Me ha rogado que viniera a veros lo más rápidamente posible para que me deis todo lo que posee.

La mujer, muerta de miedo, le confió todas las riquezas del ogro. Cargado con su botín, Pulgarcito volvió a casa de sus padres donde todos le dieron la bienvenida con alegría.

Se dice que la familia del leñador vivió feliz durante muchos años sin que jamás le faltara de nada. También se cuenta que Pulgarcito partió un día a la corte del rey con sus botas de las siete leguas. El monarca le prometió una hermosa recompensa si le traía noticias de su ejército, que se hallaba a doscientas leguas de allí, lo que Pulgarcito hizo ese mismo día. Orgulloso de su éxito, permaneció algún tiempo al servicio del rey y luego regresó junto a los suyos. Nunca más la miseria perturbó la paz de su hogar.

La lluvia de oro

Cuento americano

Había una vez una granjera que dio a luz dos gemelas que se parecían como dos margaritas.

Sin embargo, en cuanto crecieron un poco, todos se dieron cuenta de que una tenía las mejillas sonrosadas y frescas, mientras que la otra siempre andaba sucia y descuidada, como un caldero renegrido.

La pequeña con la piel de melocotón se aplicaba en ayudar a su madre en las tareas de la casa y en la cocina, mientras que la hermana desastrada dormitaba de la mañana a la noche en un banco, detrás de la estufa, siempre desganada, sin saber ni siquiera hervir un huevo. Y sucedía que, aunque la niña trabajadora realizara las tareas domésticas más duras, la madre ¡sólo tenía ojos para la holgazana! La primera sólo recibía pescozones.

Una mañana, la madre empujó a su hija bonita fuera de la casa y le soltó:

—Toma, aquí tienes la rueca, ¡quiero que me hiles todo este lino antes de que anochezca!

La niña se sentó a la sombra de un manzano y se puso de inmediato manos a la obra. Tenía que hilar tan rápido que, con las prisas, se pinchó en un dedo y empezó a sangrar. Fue entonces al pozo a lavarse la herida, pero cuando se inclinó, como había barro en el suelo, resbaló y cayó por el agujero.

El pozo era muy profundo. Ya le parecía que nunca más iba a dejar de caer, cuando tocó el fondo.

Al recuperar el sentido se encontró en medio de un prado verde salpicado de flores. La niña se puso a recogerlas y trenzó una pequeña corona. Después caminó y caminó todavía más hasta que llegó a una gran cocina que zumbaba y en cuyo horno iluminado descubrió un pan redondo y dorado.

—¡Apiádate de mí, niñita —suplicó el pan—, sácame del horno antes de que el fuego me queme la corteza!

Ante estas palabras, la niña tomó una pala de madera y retiró el pan del fuego.

—Te estoy muy agradecido, niñita —dijo entonces el pan—toma un pedacito y cuando el hambre te sorprenda por el camino, ¡esta hogaza te reconfortará!

La niña arrancó un trozo de pan y, tras dar las gracias, prosiguió su camino hasta llegar a un viejo nogal. En las ramas había madurado tal cantidad de nueces que, debido al enorme peso, se doblaban hasta el suelo.

Al aproximarse la niña, el nogal agitó sus hojas y murmuró:

—Niñita, ¿podrías sacudirme un poco las ramas? No soporto por más tiempo esta carga. Y como sople el viento, ¡seguro que me rompe todas las ramas!

La niña sacudió al árbol tanto y tan bien que cayó una lluvia de nueces.

—¡Uf! Muchísimas gracias por tu ayuda —dijo el nogal—. Como recompensa, toma tantas nueces como quieras para tu viaje.

La niña cogió un puñado de frutos y reemprendió su camino.

Finalmente llegó a una cabaña. Dentro descubrió a una ancianita sentada junto a una estufa fría.

—¿Podrías encender el fuego y hacerme un poco de sopa?

La amable niña corrió a la leñera para cortar leña, encendió el fuego y cuando éste ya ardía, puso a hervir agua para la sopa.

Concluida la comida, lavó los platos y después acostó a la viejecita en la cama.

—Me quedaré a su lado, abuela. Me encantará ocuparme de la casa y de la cocina –propuso la niña, y la anciana aceptó de buen grado la oferta, contenta de no estar sola en su cabaña.

Cada día, la niñita se encargaba de la cocina y lavaba, hilaba el lino y hacía la colada, labraba el huerto y cuidaba de los árboles. Pero apenas había pasado un año cuando se percató de que añoraba su hogar. En su casa, ni su madre ni su hermana le habían dirigido nunca una palabra amable, y sin embargo no por ello dejaba de sentir el vivo deseo de volver con los suyos.

Al final, confió sus cuitas a la anciana. Mientras la escuchaba, ésta no dejaba de mover la cabeza:

—Sí, no hay nada como la propia casa, por ello todos se apresuran en volver a su hogar. Lamento perderte y sé que aquí te has sentido a gusto. Pero antes de marcharte, ¡dime cómo puedo recompensarte!

—¡Qué ocurrencia, abuela! —exclamó sorprendida la niña—. ¡No me debe nada!

—Siendo así —contestó amablemente la ancianita— te recompensaré de otra forma.

Y al pronunciar estas palabras agitó la mano y al instante un lluvia de oro cayó del techo y no se detuvo hasta haber recubierto totalmente a la niña. Ella dio sinceramente las gracias a la buena anciana y emprendió el camino de regreso.

Su madre y su hermana se quedaron pasmadas al verla llegar cubierta de oro.

En cuanto les contó todo lo que le había pasado, la madre ordenó a la hija holgazana:

—Venga, toma esta rueca y ve a hilar el lino al lado del pozo. Cuando te pinches el dedo, inclínate sobre el agua para caer como lo hizo tu hermana.

La niña se dirigió al pozo. Nunca en su vida había tenido esa mocosa una rueca en sus manos y, puesto que no sabía cómo hilar, no podía pincharse el dedo. Pero sus deseos de poseer el oro eran tan fuertes que, sin pensárselo dos veces, se tiró al pozo. Mucho duró la caída hasta que sus pies tocaron la sedosa hierba del verde prado.

Tomando el sendero que había seguido su hermana, se puso a caminar hasta llegar cerca de un horno donde ardía un gran fuego.

—¡Te lo suplico, sácame pronto del horno —gritó un pan redondo—, si no me quemaré completamente!

—No será una gran pena —rio la malvada niña—, a mí, de todos modos, el pan me da asco.

Después, abandonando el pan a su triste suerte, se puso en camino hasta llegar junto al viejo nogal.

Las ramas se doblaban bajo el peso de las nueces.

—¡Ay, sacúdeme! —rogó el nogal—, si no mis ramas se romperán.

—¿A quién le gustan tus nueces? —respondió con desprecio la niña—. ¡No querrás que me ensucie las manos con las cáscaras!

Después de haber atravesado el verde prado, llegó junto a la pequeña cabaña. En el interior, la ancianita estaba sentada junto a la estufa fría y le suplicó:

—¿Podrías encenderme el fuego y prepararme un poco de sopa? La enfermedad me ha dejado sin fuerzas.

—¡Prepárese la sopa y el fuego usted misma! —replicó la niña—. Yo sólo como carne y además no tengo nada de frío. Pero si promete darme una buena recompensa, la meteré en la cama.

—Por este servicio te pagaré gustosamente por adelantado —contestó la anciana.

Agitó la mano y de inmediato una lluvia sucia empezó a caer del techo. Unas espesas gotas de barro se fueron posando una tras otras sobre la niña, de modo que no tardó en estar envuelta en un caparazón de barro.

Cuando consiguió regresar a su casa, la madre apenas la reconocía.

Después, al caer en la cuenta de quién era, se esforzó en lavar a su hija con un cepillo bien duro. Sin embargo, sus esfuerzos fueron inútiles.

El caparazón de barro estaba tan sólidamente incrustado en la piel de la niña que jamás pudo desembarazarse de él mientras vivió.

El pequeño Alois, el abuelo y las pompas de jabón

Cuento checo

Alois era un niño que vivía en casa de sus tíos, pero eso no era nada divertido. Su tía era avara: nunca daba nada ni a Alois ni a su tío y no dejaba de fastidiarlos. El tío, por su cuenta, disfrutaba impartiendo órdenes a Alois de la mañana a la noche.

Además, el pequeño Alois trabajaba sin parar y no tenía demasiadas alegrías. Esperaba impaciente el domingo por la tarde, pues se quedaba solo y podía hacer pompas de jabón. Ésta era su mayor diversión. Gracias a las maravillosas pompas, Alois imaginaba que recorría un mundo en el que no vivían ni el tío autoritario ni la tía avara ni los vecinos peleones. Pero la tía prohibía a Alois hacer las pompas para ahorrar jabón, mientras el tío consideraba este pasatiempo una actividad ociosa e inútil.

Un día, cuando Alois volvía del mercado, vio a un viejecito minúsculo corriendo detrás del sombrero que le había arrancado el viento. La gente se reía hasta las lágrimas mirando el espectáculo. Alois también se puso a reír. Era realmente divertido ver a ese anciano correr en todas direcciones. Sin embargo, el niño sintió pena y corrió a atrapar el sombrero.

El anciano dio su sincero agradecimiento a Alois y le dijo:

—Te conozco, Alois, tú eres el de las pompas de jabón. De hecho, sólo he querido ponerte a prueba. Quería saber si tenías buen corazón. Ahora que lo he comprobado te confío este pequeño recipiente lleno de agua con jabón.

El anciano sacó de su sombrero un frasco de agua con jabón y una paja, y se los dio a Alois, después hizo un gesto de despedida con el sombrero, se lo puso en la cabeza y desapareció.

El domingo por la tarde, mientras que su tío dormitaba sobre el periódico y su tía contemplaba sus ahorros, Alois tomó la paja, fue a buscar el frasco de agua con jabón, se instaló junto a la ventana y se puso a soplar. Conseguía hacer pompas del tamaño de un armario o de una cabina telefónica. No estallaban, sino que marchaban unas tras otras y volvían algunos minutos más tarde. ¿Y qué veía Alois? En una de ellas brincaba el panadero, ese bruto que pegaba a los aprendices y hacía trampas con el peso del pan; en la segunda pompa se revolvía la señora Mota, que disfrutaba hablando mal del prójimo; en otra el señor Fiala gesticulaba con su bastón.

Seguían el señor Rummel, que se pasaba el tiempo gritando tan fuerte que los ojos se le salían de las órbitas; después el señor Coutel, con sus largos dedos que se apropiaban de lo que no le pertenecía; y todos aquellos que por su maldad hacían que la ciudad fuera triste y nada hospitalaria. Alois, mudo de asombro, dejó caer la paja en el frasquito de agua con jabón.

Así estaba el niño, cuando de repente el tío se despertó y, al verlo, se dispuso a darle un bofetón y ordenarle que se fuera a trabajar. Ya estaba alargando la mano para golpearlo cuando, en ese mismo instante, una pompa grande como un aparador salió de la paja, atrapó al tío y se lo llevó fuera de la casa mientras gesticulaba y gritaba. Pero Alois no oía sus gritos. Y una segunda pompa se llevó a la tía y sus ahorros.

Todos los habitantes malos, autoritarios y avaros de la ciudad flotaban sobre los tejados. El mismo Alois volaba muy alto en el cielo, hacia las estrellas. Pero no estaba prisionero en una pompa de jabón. No, agarraba con fuerza la paja, en cuyo extremo se había formado la última pompa, grande como una pelota.

Alois llegó al sol, después vio la luna y las estrellas, en una de las cuales se encontraban su padre y su madre, que le saludaron con la mano y le desearon un buen viaje.

Así, Alois recorrió el mundo y, cuando regresó, la ciudad había cambiado de aspecto. Los habitantes, que ahora eran bondadosos, saludaron a Alois y le dieron las gracias. Nadie gritaba ni hablaba mal del prójimo ni lo molestaba. Todos estaban contentos de vivir en una ciudad donde reinaba la felicidad.

Alois entró contento en su casa, donde lo esperaban para comer.

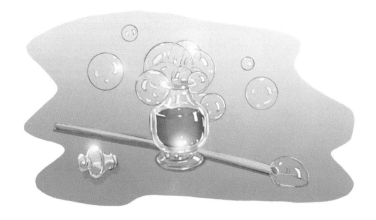

Los siete mirlos

Cuento tradicional

Había una vez un rey que vivía con sus siete hijas. Su castillo se erigía sobre una pequeña colina que dominaba una inmensa landa. Un día, el cielo se cubrió y se puso a llover ininterrumpidamente durante semanas enteras. Cuanto más tiempo pasaba, más se entristecía el rey. Postrado en su sillón delante de la chimenea, qué no habría dado por escuchar el canto de un pájaro o de una voz humana entre los altos y grises muros. Sus hijas no tenían dotes para el canto. Aunque desde su más tierna infancia había hecho venir a profesores de los cuatro extremos de su reino, todo fue en vano: no había remedio.

Por fin, al cabo de treinta días, el sol consiguió abrirse paso entre las nubes. El rey se puso inmediatamente su ropa de caza, las sólidas botas y desapareció por la landa. Acababa de bordear una pequeña loma cubierta de malezas cuando descubrió un punto rojo chillón que se movía inquieto entre los cardos y los brezos. Se acercó y reconoció a un duende que brincaba de una mata a otra mientras cantaba:

Encantadoras princesas,
¡apiadaos de mí!
¡Que cese el estruendo
bajo vuestro techo!

El rey lo contempló perplejo antes de preguntarle:

—¿Conoces a mis hijas?

—¡Pues claro! —respondió el duende tras detenerse—. En cuanto se ponen a cantar las orejas me pican y tengo que ir dando saltos entre los arbustos.

—¿Las oyes desde tan lejos?

—Podría oírlas desde el otro extremo del mundo, igual que oigo todo lo que pasa en vuestro castillo.

—¿Y cómo es esto posible? —inquirió el rey.

—La vela de mi vida arde en los sótanos del castillo. Fue vuestro abuelo quien la encendió para que le prestara mis servicios. Me preguntó cómo podría desembarazarme de ellas…

—¿Desembarazarte de quién?

—¡De vuestras hijas! Bueno, quería decir de sus cantos.

El rey estaba todo lo sorprendido que uno puede estar ante semejantes palabras. El duende prosiguió:

—Todavía sé algo de magia y puedo hacer algún truco para que vuestras hijas canten maravillosamente bien en cuanto os sintáis triste. ¿Deseáis que lo intente?

El rey consintió con un gesto de la cabeza y el duende se alejó dando pequeños saltos y cantando su canción.

Cuando el rey regresó al castillo, todos lo estaban esperando con aire preocupado: las princesas se habían ido a la landa después de desayunar, diciendo que iban a reunirse con su padre, pero todavía no habían vuelto.

Al escuchar esta noticia, el rey tomó su espada, saltó a la grupa de su caballo y se alejó a galope tendido. Cabalgó toda la noche a través de la landa acompañado de guardias y centinelas. Recorrió todos los senderos, bordeó estanques y pantanos, pisó todos los rincones del bosque… Fue inútil: no había modo de encontrar a las princesas.

Ya despuntaba la aurora cuando el rey retornó al castillo. Se dirigió de inmediato hacia los aposentos de las princesas, donde reinaba un silencio poco habitual. «Cómo me gustaría oír al menos una de esas notas desafinadas con las que saludaban el día», pensó el rey con melancolía. Y una pena inmensa le atenazó el corazón. En ese preciso momento, oyó por la ventana un maravilloso concierto de trinos. Se asomó y descubrió entonces siete mirlos negros que celebraban a voz en grito los primeros rayos de sol. Salió del castillo corriendo y buscó a los pájaros, pero ya habían desaparecido.

Durante toda la mañana, el rey estuvo deambulando de un lado a otro como si se hubiera vuelto loco: no podía quitarse de la cabeza a los siete mirlos negros.

Al mediodía, un paje le llevó una bandeja sobre la cual humeaba una gran y apetitosa torta. El rey estaba hambriento. Ya estaba a punto de cortar la torta, cuando de golpe pasaron volando siete mirlos negros como el carbón. De su pico color naranja surgía un canto dulce como la miel.

El rey se dio una palmada en la frente y se dirigió a todo correr hacia los sótanos del castillo. Allí, en un rincón muy oscuro, ardía el resto de una vela en una vieja palmatoria. Un rostro minúsculo sonrió al rey, le guiñó un ojo y le murmuró:

—Tendréis que hacer algo. En realidad no tiene ni idea de magia…

Con un gesto vacilante, el rey tomó el apagavelas apoyado en la palmatoria. Después, muy deprisa, apagó la vela. En ese mismo instante, el susurro de una canción pareció apagarse sobre la landa. Pero el rey sonrió feliz, pues escuchó por encima de su cabeza el bullicio que armaban sus siete hijas mientras saludaban la mañana con un canto totalmente desafinado.

El señor del bosque

Cuento tradicional

En una casa en la linde del bosque vivían tiempo atrás cinco hermanos y su hermanita Ana. Como eran huérfanos, los muchachos se ocuparon de la niña lo mejor que pudieron, y Ana no sólo se convirtió en una joven muy hermosa, sino también se hizo cariñosa y valiente.

El señor del bosque, que vivía solo en su castillo, oyó hablar un día de la joven muchacha. Era rico y muy poderoso, pero como no quería a nadie, estaba triste. «Si ella se ocupara de mí —pensaba—, tal vez descubriría la alegría de vivir…»

Un día decidió salir en su busca. Se detuvo delante de la casa, al borde del bosque, y, sin que nadie lo invitara, entró en la cocina y arrojó sobre la mesa una bolsa llena de monedas de oro.

—¡Entregadme a vuestra hermana! —dijo a los cinco muchachos.

—¡Ni hablar!

—Me la llevaré a la fuerza —amenazó el señor del bosque lanzándoles una mirada fría y cruel—. Si es necesario, ¡utilizaré mis poderes mágicos!

Los cinco hermanos se enfadaron y lo echaron de la casa.

Esa misma noche, cuando Ana se acercaba a la ventana de su habitación para cerrarla, un enorme pájaro negro la tomó entre sus garras y se la llevó volando hacia el bosque.

—¡Qué desgracia! —se lamentaron los cinco muchachos al verla desaparecer por los aires. El señor se ha transformado en un ave rapaz para caer sobre su presa. ¡Salvaremos a nuestra hermana de ese demonio!

Partieron sin tardanza en la misma dirección que había tomado el ave negra. Caminaron largo tiempo y sin descanso alguno. Un día, por fin, llegaron ante el castillo del señor.

—Recuperemos fuerzas an-  tes de entrar —dijo el hermano mayor, que era el más sensato.

Y sacó algunas rebanadas de pan de sus alforjas. Estaban comiendo cuando cinco palomas blancas y un pichón gris se posaron en la hierba, justo delante de ellos, zureando tristemente.

—Estos pájaros están hambrientos —dijo el benjamín, desmigando inmediatamente su hogaza para repartirla con las aves.

—¡Tenéis buen corazón! —dijo el pichón con una voz humana.

Los hermanos se miraron sorprendidos.

—Vais a entrar en ese castillo —prosiguió el pichón—, pero su propietario os embrujará. Tened en cuenta que sus fórmulas mágicas

perderán la eficacia si decís: «¡Dios mío, ayúdanos a volver a ser como éramos!»

Un poco más tarde, los cinco hermanos empujaban la puerta de entrada al castillo. Siguieron su marcha y, en una amplia y fría sala, se encontraron cara a cara con el señor del bosque.

—¡Hemos venido a rescatar a nuestra hermana! —anunció el mayor—. Dinos dónde la escondes.

—¡Ten por seguro que no! Necesito una criada, así que se quedará aquí hasta el final de mis días.

—¡Ni hablar! —exclamó el benjamín fuera de sí.

—¿En serio? —se burló el señor encogiéndose de hombros.

Con un truco de magia transformó entonces a los cinco hermanos en cinco cabritas y él mismo adoptó la forma de un lobo, listo para abalanzarse sobre ellas, que salieron corriendo en todas direcciones en busca de un escondite. Sólo una de ellas no encontró donde refugiarse…

—¡Ah! —gruñó el lobo mostrando sus largos dientes—. ¡Menudo plato me voy a comer!

—¡Dios mío, ayúdanos a volver a ser como éramos! —balbuceó la cabrita temblando.

Dicho esto, todos recuperaron su aspecto humano; pero con un gesto, el señor del bosque los transformó en pollitos. Se convirtió en gavilán y se lanzó sobre ellos extendiendo sus garras.

—¡Dios mío, ayúdanos a volver a ser como éramos! —dijo uno de los pollitos.

Y recuperaron su aspecto humano.

El mago hizo un gesto con la mano y transformó a los cinco her-

manos en cinco moscas. Una malvada araña las observaba en medio de su tela, pero justo antes de que las moscas cayeran en la trampa, una de ellas pronunció la fórmula mágica. La araña, retenida por el hilo, no recuperó su aspecto humano con la suficiente rapidez y el hermano mayor la aplastó con el pie.

El sol inundó el castillo con su luz. Ana descendió por la gran escalinata y se arrojó a los brazos de sus hermanos. La seguían cinco hermosas princesas vestidas de blanco y un príncipe vestido de gris.

—Somos las palomas y el pichón a quienes tan amablemente habéis alimentado —se presentaron—. Sólo vosotros os habéis apiadado de nosotros y, por esta razón, os hemos podido ayudar.

Y Ana se casó con el hermoso príncipe, mientras que los hermanos se casaron con las cinco princesas todas igual de bonitas y solícitas. Y vivieron juntos y felices en el castillo.

Carolina la Blanca y Carolina la Negra

Cuento tradicional

Había una vez una anciana que vivía sola con su hijastra y su hija. La primera, Carolina la Blanca, era blanca y bella. Carolina la Negra, en cambio, era fea y sombría. Todos, incluso la pobre Carolina la Negra, amaban a Carolina la Blanca. Todos salvo la madre, pues la enojaba que la gente la quisiera más que a su propia hija.

Un día, un pastor que pasaba por allí, acompañado de tres ovejas, se detuvo con satisfacción delante de Carolina la Blanca y habló con ella mientras las ovejas lamían el vestido verde de la joven. Cuando Carolina la Negra salió de la cabaña, el pastor dio media vuelta y las ovejas se marcharon balando. Carolina la Negra los había asustado con esa cara tan fea.

Unos días más tarde, un vendedor ambulante mostró a la bella Carolina la Blanca todas las maravillas que contenía su bolsa y le ofreció su cinta más hermosa. Sin embargo, cuando Carolina la Negra salió de la cabaña, volvió a guardar a toda prisa sus mercancías y se marchó corriendo. La fealdad de Carolina la Negra lo había asustado. ¿Cómo podría haber imaginado que tras ese rostro ingrato se escondía un corazón de oro?

—Esto no puede seguir así —dijo la madre, que lo había visto todo desde la ventana—. ¡Tengo que sacarme de encima a Carolina la Blanca!

Durante siete días y siete noches la mujer no dejó de reflexionar sobre el modo de desprenderse de la joven.

Al octavo día fue a ver al molinero, quien, según decían, estaba en buenas relaciones con el demonio. ¿Acaso no giraban las aspas de su

molino incluso cuando no soplaba el viento?

—Molinero —le dijo—, haz que las aspas de tu molino den vueltas cuando Carolina la Blanca esté debajo.

El molinero le prometió que así lo haría y ella salió al encuentro de Carolina la Negra.

—Escúchame bien —le dijo—, mañana iréis a buscar harina al molino. Cuando Carolina la Blanca esté bajo las aspas del molino, el molinero las hará girar. Así nos libraremos de ella.

—Pero mamá... —suplicó Carolina la Negra.

—¡A callar! —la interrumpió su madre. Haz lo que te ordeno y no digas nada a Carolina la Blanca.

Carolina la Negra lo prometió, pero, a la mañana siguiente, mientras recogían el trigo de casa del molinero, le aconsejó:

—Querida hermana, no te pongas junto a las aspas del molino. El molinero las hará girar para matarte. Es nuestra madre quien se lo ha pedido. ¡Ven, vayámonos de aquí! Pero, sobre todo, ¡no digas ni una sola palabra de esto a mamá!

Carolina la Blanca tomó a Carolina la Negra de la mano y las dos regresaron corriendo a casa. Cuando su madre vio llegar a la hermosa muchacha viva, sintió tal cólera que la echó de la casa a bastonazos.

La pobre Carolina la Blanca se marchó llorando y se dirigió hacia donde la condujeron sus pasos. Llegó así al borde de un lago inmenso. La niña lloraba sin saber adónde ir. Cuando levantó la cabeza, millares de manos surgieron del agua formando un puente con las palmas.

Después de contemplar durante largo tiempo ese extraño puente, Carolina la Blanca se decidió a cruzarlo. Bastaron unos pocos pasos para que las manos se convirtieran en garras y la arrastraran al fondo. Los duendes y los genios de las aguas querían que desapareciera.

La pobre Carolina ya casi se había ahogado cuando apareció una mujer magnífica, vestida con un ligero atuendo. Era el hada del lago.

La tomó de la mano y la llevó a la orilla. La joven vivió con ella en su palacio. Nunca había conocido tanto bienestar. El hada del lago la quería mucho y ella satisfacía todos sus deseos.

Un día, sin embargo, el sonido de los cuernos de caza resonó junto al palacio. Era el soberano del reino que salía a cazar por sus tierras. El hada del lago llamó a Carolina la Blanca.

—Mi querida Carolina —le dijo—, debo huir y nunca más volverás a verme. Pero, como quiero que conserves un buen recuerdo de mí, te concedo dos deseos. ¡Piénsatelos bien, pues los dos deseos se harán realidad en el momento en que los formules!

Y desapareció. La pobre Carolina la Blanca, se sentó entristecida al borde del agua, con la cabeza entre las manos.

—¡Si al menos mi hermana Carolina la Negra estuviera a mi lado! —suspiró.

Apenas hubo pronunciado estas palabras, sintió una fuerte ventolera y Carolina la Negra apareció junto a ella. Sin embargo, Carolina la Blanca todavía estaba muy triste porque su hermanastra estaba más fea que nunca.

—¡Si al menos fuéramos gemelas! —dijo entonces.

Inmediatamente las jóvenes se convirtieron en dos cisnes blancos como la nieve, alejándose elegantemente sobre las aguas del lago. A partir de ese día, nadie más pudo separarlas, ni siquiera los duendes o los genios de las aguas.

Pero ¿qué sucedió con la malvada madre? Pues, como tenía demasiado mal genio para vivir acompañada, se quedó sola hasta el fin de sus días. Y nadie se lamentó de ello.

Animales pequeños y grandes

Los siete cabritillos y el lobo

Basado en un cuento de los hermanos Grimm

Había una vez una casita en la que siempre resonaban los gritos de alegría de siete pequeños cabritillos. Su madre, una anciana cabra que los quería mucho, los vigilaba durante todo el día, pues en el bosque cercano había un viejo y astuto lobo que sólo soñaba con una cosa: devorar a los siete pequeños cabritillos.

Un día, antes de dirigirse al pueblo para hacer las compras, la cabra llamó a sus hijos y les dijo:

—Me marcho a buscar provisiones. Estaré fuera sólo unas horas. Os pido que desconfiéis del lobo que anda merodeando por aquí, pues si consigue cruzar esta puerta, ¡os comerá a todos! Tiene una voz ronca y unas patas negras como el carbón con garras.

—Sí, mamá, vete tranquila, seguiremos tus consejos.

La cabra entregó entonces la llave de la casa a los cabritillos y se marchó.

Aún no había andado la cabra diez pasos cuando, saltando la valla, una sombra amenazadora se acercó a la casita.

Unos segundos más tarde, una pata con unas afiladas garras golpeó violentamente la puerta.

—¡Abrid, abrid, queridos niños! He olvidado la lista de la compra.

Los cabritillos se miraron sorprendidos. Cuando reconocieron la profunda voz del lobo, se echaron a temblar de miedo.

—¡No, no abriremos! Te hemos reconocido, eres el lobo —dijo el mayor de los cabritillos—. Nuestra madre tiene una voz dulce y amable. La tuya es ronca y desagradable.

El lobo, furioso, desapareció por los senderos y corrió hasta la tienda del pueblo.

Se metió en el interior del comercio y sobre la balanza vio un saco donde el tendero guardaba las tizas blancas.

Se comió un trozo grande para suavizar su garganta y regresó en dirección a la casa de los siete cabritillos.

Cuando llegó ante la puerta, dio unos golpecitos y se frotó el cuello, se aclaró la voz y dijo con un tono tembloroso:

—¡Abrid, pequeñitos, soy yo, vuestra mamá. He vuelto del mercado y os traigo un regalito para cada uno.

Sin embargo, uno de los pequeños cabritillos, impaciente por ver a su madre, miró por la ventana y vio apoyado en el marco la terrible pata

negra del lobo. Antes de que el mayor se acercara
a la puerta, gritó:

—No, tú no eres nuestra madre, ella tiene unas
patitas blancas y bonitas. Las tuyas son negras como
el carbón. ¡Vete, lobo, te hemos reconocido!

Y todos los cabritillos se alejaron de la puerta.

El lobo, muy enfadado, se marchó a la panadería, entró allí y
gruñó:

—Me he hecho daño en una pata. Prepárame un poco de masa
para que me la ponga encima.

El panadero, aterrorizado, le obedeció sin rechistar. El lobo corrió
después a casa del molinero, que no estaba, metió la pata en un saco
de harina y partió.

Por tercera vez, el lobo volvió a la casita de la cabra y se acercó a la
puerta enseñando su pata blanca por la ventana. Con una voz dulce y
alegre gritó:

—Abridme, amorcitos, soy vuestra mamá que regreso del pueblo
para traeros regalos y una comidita muy buena.

—Los cabritillos se miraron, pegaron el morro a la ventana y reconocieron la patita blanca de su querida madre. El mayor tomó entonces la llave y abrió.

La horrible silueta del lobo se recortó en el hueco de la puerta. Los siete pequeños cabritillos temblaron de miedo.

Balando, corrieron a esconderse para escapar de las garras del lobo feroz, pero éste los encontró a todos y se los tragó uno a uno.

Cuando hubo calmado su hambre, se detuvo.

—Vaya, me parecía que había siete —se dijo.

Buscó por toda la casa pero no consiguió encontrar al más joven de los hermanitos.

Éste se había refugiado en el armario del

reloj y estaba paralizado por el miedo, esperando a que el lobo se fuera lejos.

—En fin —se dijo el lobo—, en cualquier caso ahora ya no tengo más hambre. —Y se tendió en un prado vecino a la sombra de un manzano, donde se durmió.

Poco después llegó la cabra del mercado y descubrió en la casa un desorden tremendo. Uno a uno fue llamando en vano a sus hijitos. Cuando llegó el turno del séptimo, una suave vocecita se escapó desde el reloj:

—¿Eres tú, mamá?

La madre se acercó a toda prisa y sacó al tembloroso cabritillo de su escondrijo.

El pequeño contó que el lobo se las había arreglado para entrar en la casa y había devorado a sus seis hermanos.

La vieja cabra lloró por la desaparición de sus hijos. Después, puso orden a sus cosas y salió de la casa seguida por el benjamín.

Al llegar al prado que lindaba con la casita, descubrió al gran lobo, acostado de lado a la sombra de un manzano y durmiendo como un leño. Al acercarse vio que el vientre se le movía de una forma muy rara. El lobo se había tragado enteros y crudos a los seis cabritillos.

Envió entonces al pequeño a por un par de tijeras e hilo y, tras asegurarse de que el lobo estaba bien dormido, le abrió la barriga. Los seis cabritillos no tardaron en salir uno tras otro.

—Deprisa —les dijo—. Id al río a buscar unos guijarros grandes.

Unos minutos más tarde, llenaba con piedras el vientre del lobo. Hecho esto, la cabra se apresuró a coserle la panza y todos se escondieron.

Al despertar, el lobo no se sentía demasiado bien.

—¡Diantre! ¡Esos cabritillos me han dado mucha sed! Todavía siento sus cuernecitos haciéndome cosquillas en la piel de la panza —dijo el malvado lobo.

Pero cuando se levantó, las piedras entrechocaron en el interior de su barriga, que estaba tan hinchada como un balón.

—Pero, ¿qué es este ruido tan raro? ¿Qué debe de haber aquí dentro?

A duras penas consiguió arrastrarse hasta el pozo.

Pero en cuanto asomó el hocico por el brocal, el peso de la barriga llena de guijarros lo arrastró al fondo…

Y nunca más volvió.

La gallinita roja

Cuento irlandés

Había una vez una gallinita roja que vivía en una granja con sus pollitos y sus amigos: el pato, el perro y el gato. Un día, mientras escarbaba la tierra del patio, encontró un diminuto grano de trigo. La gallina roja lo observó con atención. Como sabía que no podía sembrarlo sola, decidió pedir consejo a sus tres amigos.

—¿Alguno de vosotros puede ayudarme a sembrar este grano de trigo?

¡Pero sus amigos eran muy perezosos!

—¡No puedo, estoy durmiendo! —mintió el pato cerrando los ojos.

—¡Yo tampoco! —dijo el gato bostezando.

—¡Y yo aún menos! —ladró el perro.

—Peor para vosotros, ¡ya nos arreglaremos nosotros solos! —respondió la gallina.

La gallinita roja y sus polluelos sembraron el grano. Germinó y salió un tallo verde y bonito.

Maduró después y tomó un precioso color dorado. Ya estaba a punto para la cosecha.

—¿Quién me ayuda a segar esta planta? —preguntó la gallinita roja.

—Yo no puedo —dijo el pato antes de zambullirse en la charca.

—Yo tampoco —añadió el gato antes de marcharse.

—Yo, ¡estoy comiendo! —gruñó el perro corriendo con su hueso.

Entonces la gallinita y sus polluelos cortaron solos el tallo. Una vez hecho esto, llegó el momento de separar el grano de la paja.

—¿Quién quiere golpear el grano conmigo?

—¡No seré yo! —respondió el pato, y atrapó una lombriz de tierra.

—¡Ni yo! —añadió el gato, demasiado ocupado en perseguir un ratón blanco.

—¡Y yo menos! —insistió el perro.

La gallinita y sus polluelos tuvieron que apañárselas solos. ¡El trigo ya estaba listo para moler!

—¿Quién quiere moler el trigo? —preguntó la gallina.

—Lo lamento, ¡estoy pescando! —dijo el pato repantingándose en la charca.

—Yo prefiero quedarme cerca del fuego —ronroneó el gato.

—Yo debo vigilar la casa —se pavoneó el perro tras la valla de la granja.

—¡Ya nos espabilaremos nosotros solos! —afirmó la gallinita roja.

Sin mayor demora, partió a moler el trigo con sus polluelos. La harina pronto estuvo lista, ¡así que sólo faltaba preparar el pan!

—¿Queréis hacer el pan conmigo? —preguntó la gallinita roja.

—Yo no —dijo el pato.

—Yo tampoco —dijo el gato.

—Y yo aún menos —dijo burlón el perro.

—No importa —replicó la gallinita roja.

Una vez más, sólo pudo contar con sus trabajadores polluelos. Mezcló agua con la harina para preparar la masa. A continuación puso la masa en el horno y, muy pronto, un delicioso olor se extendió fuera de la cocina. El pan ya estaba cocido. Todavía tibio, sólo aguardaba a que alguien lo probara.

—¿Quién quiere probar este delicioso pan? —preguntó la gallina roja.

—¡Yo! —exclamó el pato.

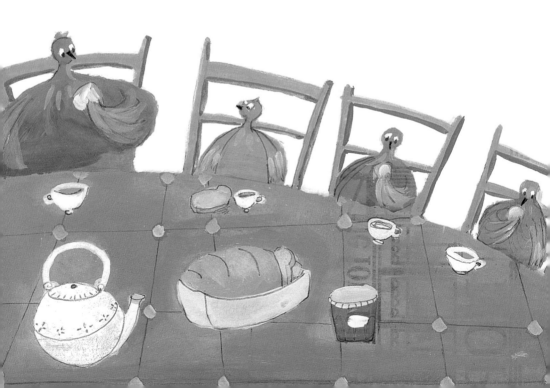

—¡Yo también! —contestó el gato entusiasmado.

—¡Y no os olvidéis de mí! —ladró el perro.

¡La gallina roja se enfadó!

—Ninguno de vosotros se ha dignado a ayudarme a sembrar, segar, golpear o moler el grano. ¡Ni pude contar con nadie a la hora de cocer la masa! Por esto, sólo mis polluelos y yo comeremos este delicioso pan.

Toda la familia se sentó a la mesa. Por la ventana, el pato, el gato y el perro miraban cómo la gallinita roja y sus polluelos disfrutaban de las hermosas y doradas hogazas de pan. ¡Qué comida tan suculenta! ¡Seguro que nunca habían comido un pan tan rico!

El gusanito que casi consiguió
hundir un barco

Cuento checo

Había una vez un barco que surcaba los mares cargado de marineros. Uno de esos marineros tenía una manzana y, como estaba hambriento, la mordió. Entonces, un gusanito salió de la fruta.

—Esta manzana es mía. Yo la he encontrado primero.

Pero el marinero se echó a reír y de un soplido echó al gusanito fuera de la fruta. El marinero acabó de comer la manzana, tiró el rabo al mar y se fue a dormir. Pero el gusanito lloraba, pues los más fuertes siempre abusaban de él. Así que se puso a mordisquear el casco del barco e hizo un agujero. A continuación se subió al mástil y esperó a ver qué sucedía.

Los marineros dormían profundamente y roncaban como hipopótamos. Mientras, el agua iba entrando poco a poco en el barco. Y, de repente, se escuchó un grito: el comandante soñaba que estaba to-

mando un baño en su bañera y que se enjabonaba la cabeza, pero que se le metía el jabón en los ojos. Se despertó y, en ese mismo instante, se dio cuenta de que el agua le llegaba hasta el cuello y el barco estaba hundiéndose. Hizo sonar la alarma y al instante el barco se convirtió en un hervidero de marinos en mangas de camisa que gritaban con todas sus fuerzas: «SOS, SOS». Corrían en todas direcciones. En medio de todo ese lío, un hombre se planchaba el pantalón para estar correctamente vestido cuando llegaran a socorrerlos. El fogonero sacudía sus ropas y se cepillaba los dientes, porque no quería ensuciar el mar. Pero el marinero más asustado y que gritaba más fuerte era el que se había comido la manzana, que corría alrededor de la brújula, con un paraguas abierto en la mano y gritando:

—¡Es el fin!

El gusanito, inclinado sobre el mástil, se moría de risa. Un joven marinero se había tapado las orejas con algodón y leía tranquilamente el libro: *Cómo aprender a nadar rápidamente.* El timonel se había metido en un tonel. Mientras todos buscaban la manera de salvarse, empezó a despuntar el día lentamente. Algunos marineros se atrevieron a meter las manos y los pies en el agua para no tener que saltar de repente. Un hombre que llevaba una cinta de caucho en el cuello, en lugar de un salvavidas, intentó comprobar si el agua estaba caliente, hizo ¡pluff!, y se cayó al mar.

Todos gritaron. Fueron a buscar al comandante, lo sacaron de su cabina y, tanto si lo quería como si no, tuvo que ir a ver el espectáculo. Y cuando estaban mirando con la boca abierta, se dieron cuenta de que al marinero sólo le llegaba el agua hasta las rodillas y que incluso se le veían los dedos del pie. Sujetaba el pijama con las dos manos para no mojárselo y temblaba de miedo. Después salió el sol y comprobaron que el barco se encontraba en la playa de una isla de cocoteros: los monos se burlaban de ellos. Los marineros vaciaron el agua del barco, taparon el agujero y se fueron. En el último momento, el gusanito saltó al agua y nadó hasta la isla. Encontró una cáscara de coco donde se construyó una bonita casa, con una cocina de baldosas, ducha, cortinas en las ventanas y flores. Y todavía sigue allí.

Los músicos de Bremen

Basado en un cuento de los hermanos Grimm

Había una vez un viejo molinero que tenía un buen asno llamado Grisón. Cada día, ese asno llevaba los sacos de trigo al molino sin quejarse jamás del mal humor de su dueño. Pero el asno envejecía y, poco a poco, sus fuerzas se iban debilitando. El molinero pensó un día que ya era hora de desprenderse de él.

Así que a golpes de palo ahuyentó al desgraciado animal. El pobre asno, con las orejas bajas, emprendió el camino hacia Bremen. Soñaba en que no tardaría en convertirse en un músico al servicio de la ciudad.

Por el camino se encontró con un perro de caza que gemía en la cuneta.

—Y bien, Busca, ¿qué haces así, esperando la muerte? —preguntó el asno.

—Me hago viejo… —respondió el perro—. Ya no cazo como lo hacía antes y mi dueño, desagradecido, quería matarme, así que me he escapado. Pero, ¿dónde viviré a partir de ahora?

—Yo me dirijo a Bremen para convertirme en músico. Vente conmigo –le propuso Grisón—. ¡Nos lo pasaremos muy bien!

Ambos partieron juntos bajo el cálido sol de verano. Un poco más lejos, por el camino, encontraron a un gato que se paseaba por los trigales.

—Y bien, viejo Micifuz, ¿por qué tienes esta cara tan triste? —le preguntó el asno.

—¡Me he escapado de casa de mi ama! —respondió el gato—. Como pasaba más rato junto a la estufa que en el sótano o en el granero cazando ratones, ha querido ahogarme. He huido mientras intentaba atraparme. Y ahora, no sé adónde ir…

—Vente con nosotros a Bremen. Tú también sabes de música, ¡tocaremos juntos!

Los tres compadres no tardaron en llegar delante de una granja que conocían bien.

Ya hacía tiempo que el sol estaba en lo alto del cielo… sin embargo, el gallo gritaba con todas sus fuerzas desde un pequeño muro.

—¡Deténte, Cantaclaro, vas a agujerearnos los tímpanos! —exclamó Micifuz —. ¿Por qué gritas de esta forma?

—Éste es el último canto de mi existencia… —respondió el gallo con tristeza—. La granjera quiere que la cocinera me corte el gaznate al amanecer y que luego me sirva a la mesa.

—Puesto que cantas tan bien —le contestó Grisón, con aire malicioso—, ¡únete a nosotros! Nos vamos los tres a Bremen para convertirnos en grandes músicos…

Acto seguido, el gallo dejó de cantar, saltó de su murete y se posó sobre la grupa del asno. Los cuatro amigos reemprendieron el camino, contándose por turno todo lo que habían tenido que aguantar durante sus largos años de servidumbre.

Como Bremen era una ciudad lejana, nuestros cuatro colegas decidieron buscar un lugar donde descansar. El gallo se posó en lo alto de un gran roble para examinar los alrededores. Después de haber observado por todos los lados, divisó una luz.

El gato se apresuró a reunirse con él, subiéndose ágilmente al árbol. Gracias a su penetrante vista, confirmó lo que decía el gallo.

—¡Veo una luz que brilla a lo lejos! Procede de una casita en un claro.

—¡Dejemos el bosque! —exclamó Grisón—. Vamos a ver si allí la cama y la comida son mejores.

Se pusieron en marcha de inmediato, llegaron junto a una pequeña cabaña de leñadores y se dirigieron sin hacer ruido a la ventana. Grisón asomó la cabeza y descubrió a tres terribles bandoleros sentados en torno a un guiso cuyo aroma se esparcía por fuera de la habitación.

—Veo a tres bandidos delante de una apetitosa comida… —mur-

muró Grisón—. Tenemos que conseguir que huyan. ¡Deprisa, Busca, súbete a mi lomo; y tú, Micifuz, súbete al suyo! Cantaclaro, tú te pondrás arriba de todo. En cuanto yo empuje la ventana, nos pondremos a gritar a coro.

A la señal del asno, la ventana se abrió bruscamente y unos gritos, ladridos, aullidos y rebuznos invadieron toda la habitación. Pensando que era un fantasma, los bandoleros huyeron al bosque sin volver la vista atrás. Cuando ya se habían alejado lo suficiente, el perro, el gato, el asno y el gallo entraron, se sentaron a la mesa y comieron lo que quedaba en la humeante cazuela.

Llegó luego la hora de ir a dormir. El asno se extendió sobre la paja, el perro junto a la puerta trasera, el gato al lado de la estufa y el gallo en lo alto de un hato de heno.

Agotados por su larga marcha, los cuatro colegas no tardaron en dormirse.

Sin embargo, los bandoleros no estaban lejos. Una vez pasado el primer susto, el jefe de la pequeña banda no se contentó con abandonar tan cómodo refugio. Además, ¡todavía tenía hambre!

Puesto que parecía que había vuelto la calma, ordenó a uno de sus hombres que fuera a ver si aquel terrible fantasma todavía se encontraba en la casa.

El bandido hizo acopio de todo su valor y se acercó silenciosamente. Empujó poco a poco la puerta y entró en la cocina. Cerca de la estufa, le pareció que brillaban dos brasas y acercó una cerilla para avivarlas.

Pero a Micifuz, que dormía con los ojos abiertos, no le hizo ninguna gracia esta inesperada intromisión. Levantándose sobre sus cuatro patas, escupió al ladrón, sacó las uñas y le saltó encima.

Aterrorizado, el bandolero se protegió la cara y cruzó la habitación a toda prisa, pensando en huir por la puerta trasera. Desgraciadamente para él, se tropezó con Busca al cruzar el umbral. El perro se puso en pie de un brinco, le clavó con fuerza sus terribles colmillos y lo persiguió durante unos metros ladrando. El ladrón se puso a correr a través del patio gritando a pleno pulmón.

Con las prisas saltó por encima de lo que parecía ser un montón de paja; pero al mismo instante en que salvaba este obstáculo, Grisón, que se había despertado sobresaltado, le propinó ¡una violenta coz! Arrebatado del sueño con todo ese escándalo, Cantaclaro, creyendo que ya estaba amaneciendo, se puso a cantar: «¡Kikirikí! ¡Kikirikí!»

El ladrón corría tanto como sus piernas le permitían, jurando nunca más volver a poner el pie en esa casa embrujada.

Entre jadeos, contó luego su aventura:

—¡En la casa, cerca de la estufa, hay una bruja que araña a los que se le acercan! Cerca de la puerta, un hombre vigila con un cuchillo en la mano y otro está escondido en un haz de heno con un mazo. Incluso he oído a un juez sobre el tejado gritando: «¡que capturen a este caco!, ¡que capturen a este caco!»

Tras esta explicación, los ladrones nunca más se atrevieron a volver a ese lugar.

En cuanto a nuestros colegas, decidieron que Bremen esperaría a otros músicos. Se instalaron todos juntos en la casa para vivir unos días felices y apacibles.

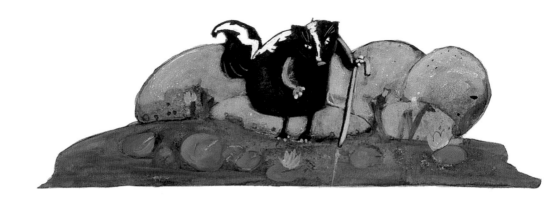

La mofeta y las ranas

Fábula del Nuevo Mundo

L a mofeta que vivía al borde de Arroyo Fangoso estaba envejeciendo y observaba en vano, de la mañana a la noche, a las ranas de la orilla. Sin poner demasiado esfuerzo, todas conseguían escapar y, a salvo en el pantano, le dedicaban esta canción:

Croac, croac, croac,

¡de la vieja mofeta ya no seremos presa!

Un día, la liebre pasó por la orilla del arroyo y se sorprendió al ver a la mofeta tan abatida.

—¿Por qué estás tan afligida, hermana mofeta?

—¡Y cómo no estarlo! —suspiró ella—. Aquí donde me ves, me estoy muriendo de hambre y no consigo atrapar ni una sola ranita para comer.

—¡Esto no es problema! Puedo ayudarte a poner remedio fácilmente —propuso la liebre—. Cava un agujero al borde del arroyo y acuéstate en el fondo, como si estuvieras muerta. ¡Esta noche, disfrutarás de un festín digno de un rey!

La mofeta no se hacía demasiadas ilusiones sobre una forma de conseguir comida con tan poco esfuerzo, pero como, de todos modos, no tenía otro remedio, hizo un agujero junto al arroyo, se tendió cuan larga era en el fondo, y cerró los ojos.

—¡Venid, deprisa, mirad, la mofeta está tendida en el fondo del agujero y no se mueve nada! —croó a pleno pulmón una ranita—. ¡Parece que esté muerta!

Una tras otra, las ranas saltaron al agujero y se pusieron a bailar en corro alrededor del falso cadáver, encantadas de que la mofeta se hubiera muerto por fin.

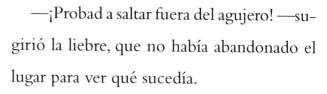

—¡Probad a saltar fuera del agujero! —sugirió la liebre, que no había abandonado el lugar para ver qué sucedía.

Cuando todas las ranas salieron, la liebre les comunicó sus cavilaciones con un semblante realmente preocupado:

—El agujero no es lo suficientemente profundo. Quién sabe, ¿puede ser que la mofeta no esté del todo muerta? Podría salir del agujero y os comería de un bocado. Yo, en vuestro lugar, intentaría hacer todavía más hondo el agujero.

Satisfechas por los sensatos consejos de la liebre, las ranas volvieron al agujero de un salto y se pusieron a cavar.

—Y ahora, intentad salir de un salto para verificar que es lo suficientemente profundo.

De un brinco, las ranas salieron del agujero, así que la liebre afirmó.

—Ya habéis comprobado que hay que cavar todavía un poco más por debajo de la mofeta para impedir que salga si vuelve en sí.

—Las ranas saltaron pues de nuevo al fondo del agujero y enseguida se pusieron manos a la obra.

—¡Y ahora probad a salir de un salto otra vez para comprobar si el hoyo es lo bastante hondo! —gritó al cabo de un rato la liebre.

En esta ocasión, las ranas intentaron en vano salir del agujero, por lo que había la profundidad deseada.

—Hermana mofeta —dijo la liebre riendo—, ¡tu comida está servida!

La mofeta abrió los ojos y en un suspiro se comió a todas las ranas.

¿Por qué el conejo se esconde en el fondo de la madriguera?

Fábula del Nuevo Mundo

Hubo un día en que una ola de calor se abatió sobre el bosque, secando arroyos y ríos, y la sed se extendió por todos los rincones.

El viejo chacal reunió a los animales en un gran consejo y, durante horas, reflexionaron sobre el modo de salvar a los animales de una muerte certera.

Decidieron finalmente cavar un profundo pozo.

Sólo el conejo se burlaba de sus hermanos animales:

—¿Para qué cansarse con eso? ¡Yo no pienso morirme de sed!

—¡Perfecto! ¡Como tú quieras, hermano conejo! Pero si no nos ayudas, tampoco beberás agua del pozo —decidió el oso, y se puso manos a la obra con todos los animales de la pradera y el bosque.

Cavaron durante mucho tiempo y consiguieron descubrir un abundante manantial.

Antes de que despuntara el alba, el pozo se había llenado de agua fresca. Y durante todo el día, los animales pudieron calmar su sed.

Al día siguiente, al amanecer, el oso acudió a dar un paseo por el pozo para verificar si todo estaba en orden... ¡y qué descubrió! ¡Que el suelo fangoso que rodeaba el pozo estaba lleno de huellas de patas de conejo!

El oso convocó inmediatamente a todos los animales y decidieron montar guardia durante la noche para que el conejo no bebiera. El conejo no tardó en deslizarse furtivamente por el bosquecillo que había junto al manantial y se puso a cantar. Su canto era tan dulce y bonito que el oso, acunado por la maravillosa melodía, acabó por caer en un profundo sueño.

A la mañana siguiente, cuando los animales se reunieron cerca del pozo, se quedaron perplejos: el hermano oso dormía como una marmota y alrededor del pozo el suelo estaba de nuevo lleno de huellas de ¡patas de conejo!

Por la noche, le tocó el turno de montar guardia en el pozo al lobo. Se tendió en la hierba, y se guardó bien de cerrar los ojos.

Como la noche anterior, el conejo se deslizó por el matorral cercano al agua y se puso a cantar. Era tan maravilloso su canto que el lobo no pudo evitar ponerse a bailar. Y mientras giraba y brincaba, el conejo se plantó de un salto junto al pozo y bebió hasta calmar la sed.

Entonces, siguiendo los consejos del erizo gris, los animales se pusieron a esculpir un hombrecito con resina de pino y, en cuanto se hizo de noche, lo pusieron junto al pozo.

En el crepúsculo, el conejo se deslizó por los arbustos hasta el borde del claro del bosque y volvió a entonar su canto. Pero el hombrecito no movía ni un pelo. El conejo montó en cólera. Se acercó al hombrecito brincando y exclamó:

—¡Si no te vas inmediatamente del pozo te arañaré tan fuerte que verás miles de estrellas!

Pero ni por esas el hombrecito reaccionó. El conejo se puso en pie y le asestó un buen golpe con la pata derecha. Pero, ¡sorpresa!, la pata se quedó pegada al hombrecito.

—¿Así que todavía no quieres salir corriendo de aquí? —vociferó el conejo. Y lo golpeó con la pata izquierda, con tan mala fortuna que también ésta se quedó pegada.

El conejo perdió totalmente la cabeza de rabia y asestó un golpe al hombrecito con sus patas traseras, pero éste se quedó inmóvil como una piedra.

Cuál no fue la sorpresa de los animales cuando, a la mañana siguiente, se congregaron junto al pozo.

El conejo seguía allí, pegado al hombrecillo de resina y con los ojos rojos de ira. Todos los animales se echaron a reír del enfado del conejo.

—Vamos, ya es suficiente, —le hemos dado una buena lección que ya no olvidará jamás —intervino el oso con voz grave, y se dispuso a despegar las patas del conejo del hombrecito de resina.

El conejo puso pies en polvorosa y desapareció por un agujero. Desde entonces, el conejo ya no sabe cantar. Durante el día permanece en el fondo de su madriguera y sólo sale para ir a comer hierba cuando ya ha caído la noche, evitando así las burlas de los demás animales.

La planta peligrosa

Cuento de Burkina Faso

É rase una vez una tortuga muy sensata a la que todos los animales tenían en gran aprecio. De vez en cuando se dirigía a la aldea de los hombres para escuchar lo que decían, tras lo cual ponía a los animales en guardia:

—¡Cuidado, los hombres van a salir de caza!

O bien:

—¡Los hombres van a quemar hierbas, tenéis que escapar!

Un día, la tortuga descubrió en el campo de cultivo una planta que nunca había visto. Cuando se marcharon los hombres, la tortuga se acercó con su balanceo característico y dijo a la planta:

—¡Qué tierna, bonita y verde eres! Vengo a conocerte. ¿Cuál es tu nombre?, ¿qué significa?

—Los hombres me han dado un nombre noble y hermoso —respondió la planta—. Significa «peligro para todos los animales».

La tortuga dio gracias a las verdes hojas y regresó para prevenir a sus amigos.

—Deberíamos destruir ese cultivo, pues los hombres nos preparan una mala jugada.

Sin embargo, los animales sentían pereza y no tenían ganas de desenterrar las raíces de una superficie tan grande.

—Evitaremos ese lugar —decidieron—. Si no comemos de esa planta, no podrá pasarnos nada.

Al poco tiempo, en el campo de cultivo crecían unos robustos tallos. Los hombres los arrancaron e hicieron cuerdas con ellos. Gracias a esas cuerdas, trenzaron redes con las cuales atraparon pájaros, peces y antílopes. Ataron a los animales por las patas para impedir que se escaparan y anudaron también cordones a las flechas para retener a sus presas.

Los animales ya no se sentían seguros en ningún lugar. Desesperados, recordaron las palabras de la tortuga. Ella era la única que no corría peligro, pues con sus puntiagudos dientes podía romper sin problema la más sólida de las redes.

La tortuga, a su vez, puso en guardia a las crías de los animales frente a esa peligrosa planta:

—Los hombres le han dado un nombre noble y hermoso. Significa «peligro para todos los animales».

La planta tan terrible de que habla este cuento es el cáñamo. En nuestro país sirve para hacer cuerdas.

Jacob Karo, el perrito emborronado y la pequeña ventana de papel

Cuento checo

Había una vez un niño que se llamaba Juanito. Le gustaba pintar con acuarelas y colores. Un día, mientras llovía, dibujó un monigote que llevaba un traje a cuadros y que le costó mucho pintar. Pero Juanito tenía tiempo y paciencia, y era muy constante. Cuando el monigote estuvo acabado, parecía un ser vivo.

Por la noche, a la hora de ir a dormir, dibujó a toda prisa un tren, pero su madre, que no lo perdía de vista, le preguntó que por qué no estaba todavía en la cama; fue así como, al querer terminar deprisa y corriendo el dibujo, le cayó una gota de la pintura azul que iba a servirle para colorear el cielo. Le dio tanta rabia, que emborronó la mancha con lápiz, la cortó y la tiró.

Cuando se hubo acostado, pensó que había hecho bien en abrir una pequeña ventana en el papel y se le ocurrió mirar a través de ella… ¡Prestad atención! Resulta que descubrió una casita hecha de

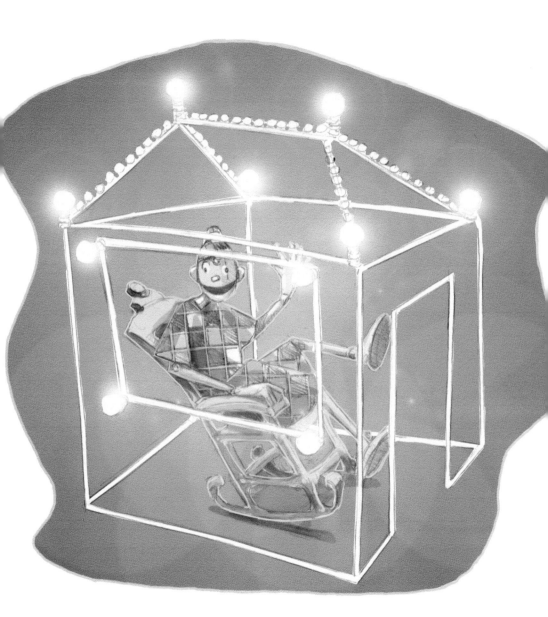

un hilo transparente como una cortina y en medio de ella, sentado en una mecedora, al monigote.

—Qué contento estoy de verte —dijo el monigote con una sonrisa—. Me llamo Jacob Karo. ¿Qué tal estás, Juanito?

—Bien —contestó—, y tú, ¿qué tal?

—También bien —respondió Jacob—. Justo ahora llega tu tren y estoy deseando saber quién viene a visitarme.

Apenas había concluido la frase, cuando el tren se detuvo delante y tapó la visión. Pero el niño estaba cansado y al día siguiente ya no recordaba quién había bajado del tren. Durante todo el día miró impaciente por la ventana de la hoja de papel pero no vio nada. Sólo por la noche, mientras estaba acostado, distinguió la casa: Jacob Karo tenía un minúsculo perro azul sobre las rodillas y el pobre perrito un borrón hecho con lápiz.

—¿Quién ha emborronado a este perrito?

—Tú mismo —respondió Jacob Karo.

—Yo iba en el tren a visitar a Jacob y de pronto me emborronaste —añadió el perrito.

—Pensaba que estaba tachando la mancha —respondió Juanito perplejo.

—¿Soy acaso tan pequeño —continuó el perrito—, como para que un niño no pueda distinguirme de una mancha? —Y se puso a llorar desconsoladamente.

—Jacob, Jacob —dijo entonces Juanito—, ¿no tendríamos que ir a buscar al veterinario?

Pero Jacob respondió que no y comenzó a buscar el principio o el fin del borrón: examinó la espalda, el vientre, las patas, la cola y miró dentro de la boca del perrito. Pero Juanito estaba tan cansado que al día siguiente ya no recordaba el fin de esta aventura. Tuvo que esperar hasta la noche para ver de nuevo la casa. A través de la ventana, Jacob Karo lo esperaba para darle un ovillo: era el trazo del borrón.

—Tienes que volver a colocar este trazo sobre la hoja de papel que has echado a perder con tus prisas —dijo Jacob Karo—, en caso contrario, el perrito no se quedará tranquilo.

A continuación, todo sucedió muy deprisa. Jacob desenrolló el trazo del perro como si se tratara de una madeja de lana y Juanito lo

volvió a colocar en el papel. El perrito se puso a cantar, pero cuanto

más alegre estaba él, más triste se ponía Juanito.

La ventana se iba reduciendo a medida que lo hacía la madeja, y

muy pronto el niño dejó de ver a Jacob, la casa y el perrito. Sólo podía

oír la canción del animalito.

«Cuando soy diminuto, los niños me quieren mucho.»

Juanito estaba sentado sobre su camita y se sentía triste; le daba pena haber sido tan descuidado al pintar y haber continuado haciéndolo cuando estaba cansado. Pero de repente, vio una patita que separaba los trazos de la reja y la nariz de Jacob que se pegaba contra ellos. La cara de Juanito resplandeció de alegría pues sus amigos no lo habían olvidado, y dijo:

—Queridos amigos, estaba pensando en vosotros. Me gustaría que jugásemos juntos.

—Mañana por la noche te despertaremos —respondió Jacob—. ¿Quieres?

—¡Me encantará! —exclamó Juanito.

—Pero ven pronto —prosiguió Jacob—, iremos a bañarnos en el estanque de los cuentos.

—Me acostaré temprano —dijo el niño.

Y todos juntos concluyeron:

—¡Hasta pronto!

Juanito vio a través de la reja a Jacob y el perrito regresar a la casa.

A partir de ese día, Juanito no sólo se iba a dormir pronto, porque Jacob y el perrito le esperaban todas los noches (se habían convertido en amigos inseparables), sino porque dibujaba siempre lentamente y con cuidado, y sólo cuando no tenía prisas.

Cuentos de aquí y de allá

El elefante y el ratón

Cuento indio

Mucho tiempo atrás, vivía junto a la aldea un elefante salvaje. Todos los días acudía a beber agua del río y se burlaba de los elefantes domesticados que habían escogido trabajar para los hombres.

También se reía de los hombres que cultivaban el campo y a menudo, para divertirse, pisoteaba toda su cosecha de arroz y la hundía

en el barro. Aunque sus actos carecían de maldad, las consecuencias eran nefastas.

A quien más hacía sufrir era a un ratoncito que vivía en la orilla del río. El elefante se llenaba la trompa de agua e inundaba toda la casa. El pobre ratón no sabía nadar y le costaba por ello mucho esfuerzo escapar del agua. Además, cada vez tenía que construir una nueva casa

para sus crías. Y adonde quiera que fuera, el elefante siempre lo encontraba.

Un día, el ratoncito decidió ir a la aldea para pedir ayuda a los hombres, pues el elefante les causaba tantos enojos como a él.

Primero se dirigió a los ricos, pero éstos preferían enclaustrarse en sus casas, pensando que sus portalones de hierro podrían protegerlos de todo peligro:

—Podemos ponernos a salvo del elefante y no nos preocupa el daño que pueda causar a los demás.

—Nosotros no tenemos nada para vencerlo —replicaron los pobres—. Tenemos las manos vacías y, ¿quién se atreve a enfrentarse a un animal así sin armas?

—De acuerdo. Ya veo que tendré que declarar yo solo la guerra al elefante —respondió el ratón—. Prestad atención, en cuanto comience el combate, tomad vuestras pertenencias y poneos a salvo, ¡o lo perderéis todo!

Los pobres prometieron obedecer al ratoncito, pero los ricos se contentaron con reír:

—¿Cómo un ratoncito tan pequeño puede luchar contra un elefante enorme?

Cierto es que el ratoncito era pequeño, pero era listo y ya había trazado su plan. Cuando, tal como era su costumbre, el elefante llegó al río para beber, el ratoncito lo observó. En el momento preciso, se coló discretamente en su trompa, se ocultó, y después se puso a saltar, a morder y a arañar con sus uñas.

El elefante, que no sabía qué le estaba sucediendo, salió del río como si estuviera loco. Los pobres, en cuanto oyeron los bramidos, huyeron al bosque justo a tiempo. Pero los ricos, que creían estar protegidos por sus portalones, perdieron todos sus bienes pues nada había tan recio como para detener al elefante. Llevado por la ira aplastaba todo lo que se interponía en su camino. Corrió lejos del pueblo, sacudiendo la trompa para desembarazarse de esa cosa tan rara que lo hacía sufrir.

Cuando anocheció, el ratón se deslizó fuera de la trompa del elefante y emprendió el regreso a su casa. Los hombres lo esperaban para elogiar su inteligencia y agradecerle que hubiera liberado a la aldea del enemigo. Y, en efecto, el elefante no volvió nunca más a ese lugar.

El ratoncito supo enfrentarse al enorme elefante. Tal vez parezca extraño que un ratoncito luche contra un gran elefante, pero la fuerza no lo es todo.

El ruiseñor

Basado en un cuento de Hans Christian Andersen

Hace mucho tiempo vivía en China un poderoso emperador. Su palacio era tan espléndido que el mundo entero lo envidiaba. Estaba situado en medio de un jardín cuya extensión semejaba a la de toda una ciudad, y donde crecían delicados nenúfares. Allá, bajo los árboles, se tendían los pescadores al caer la tarde y escuchaban el canto del ruiseñor.

—¡Qué hermoso! —decían.

Acudían viajeros de países lejanos para visitar la ciudad imperial. Elogiaban su belleza, pero cuando alguno se internaba en el bosque vecino no podía evitar admirar el canto del ruiseñor.

Al regresar a sus casas, esos viajeros contaban su maravilloso viaje en libros que hablaban, sin excepción, del fabuloso ruiseñor cuyo canto era más bello que todo lo que las Tierras Medias ofrecieran. Se hicieron llegar tales libros a la corte de China. Y fue así como el emperador acabó por enterarse de que poseía un ruiseñor cuyo canto extasiaba a todo el mundo.

Mandó buscar a su canciller y le dijo:

—En mi jardín hay un ruiseñor elogiado por el mundo entero y del que no sé nada. Encuéntralo.

El canciller se desvivió por cumplir las órdenes, interrogando a todos acerca del ruiseñor, pero no sirvió de nada. Al anochecer, exhausto, volvió al encuentro del emperador.

—No lo he encontrado, Majestad. Dudo incluso de que exista. No deberíais creer lo que han escrito.

—Este libro me ha sido enviado por el poderoso emperador de

Japón —contestó entonces el emperador, montando en cólera—, y la corte del Sol Naciente nunca miente. ¡Iré a escuchar a ese ruiseñor porque merece toda mi atención!

—Como gustéis, señor –contestó intimidado el canciller.

De nuevo, buscó al ruiseñor por todas partes. Finalmente, en las cocinas de palacio, descubrió a una joven muy pobre que, amablemente, le dijo:

—Sé dónde se encuentra ese ruiseñor. A menudo me detengo en el bosque vecino para escucharlo y eso me llena de alegría.

La jovencita mostró el camino y todos los cortesanos la siguieron. En el bosque, les señaló el pájaro.

—Ruiseñor, el emperador desearía escucharte esta noche. ¿Querrás acompañarnos? —le preguntó.

—Será un placer —respondió el pajarito.

Fue una bonita velada. Toda la nobleza china se hallaba reunida en la sala del trono. El canto del ruiseñor fue una verdadera delicia. Nadie hablaba. Todos miraban al pájaro y las lágrimas del emperador.

Así es, el emperador estaba emocionado. Conmovido en lo más profundo de su ser por la dulce melodía, lloraba.

Cuando el pájaro calló, insistió en condecorarlo con la más alta distinción. El ruiseñor, sin embargo, contestó:

—No, Señor, he visto vuestras lágrimas y ése ha sido mi más preciado regalo.

En los días que siguieron, el pájaro cantó otras veces y toda la ciudad no tardó en tararear la melodía de sus trinos.

Encerrado en una jaula de oro fino colgada en el jardín, sólo podía salir tres veces al día con la pata atada a doce hilos de seda que sostenían doce servidores con librea.

Cuanto más elogiosamente hablaban los cortesanos y el pueblo del ruiseñor, más acorralado se sentía él, lejos de su bosque. Y no tardó en aburrirse.

Sin embargo, una mañana, un mensajero llevó un paquete. Lo abrieron. En una caja de madera preciosa había un pajarito mecánico de plata, recubierto de rubíes y diamantes, acompañado de una nota en la que se leía: «El pájaro del emperador del Sol Naciente es poca cosa comparado al ruiseñor del emperador de China.»

Inmediatamente dieron cuerda al pájaro y cuál no fue el asombro general. ¡Qué canto tan puro! Cuanto más lo escuchaban, más apagado les parecía el canto del ruiseñor. Además, lo buscaron, pero fue inútil. Por una ventana entreabierta, éste se había escapado.

En los días siguientes, el pájaro

de plata cantó más de treinta veces ante una corte embelesada. El maestro de música lo elogió:

—Señor, contemplad la superioridad de esta ave. Su canto nos parece natural y no nos aburre nunca. Es esto lo que lo hace tan extraordinario.

Y así fue como todos se olvidaron del auténtico ruiseñor. Sin embargo, los pescadores, que sí lo recordaban, repetían:

—Este pájaro de plata es bonito, pero le falta algo.

El ruiseñor de plata recibió la recompensa que el ruiseñor de carne y hueso no había osado aceptar. Durante un año, el canto del pájaro mecánico, posado sobre la mesita de noche del emperador, veló su sueño. Toda la población de la ciudad conocía su melodía.

Una mañana, cuando habían preparado al pájaro de plata para que despertara al emperador, se oyó en su interior un pequeño clic, después un cuac y un ploc. Un segundo después, el ruiseñor mecánico enmudeció.

Una hora más tarde, el relojero de palacio hizo acto de presencia y examinó el mecanismo.

—Se han gastado las ruedas del engranaje —dijo—. Es imposible reemplazarlas porque están montadas de forma muy sutil. Naturalmente, puedo reparar este pájaro mecánico, pero habrá que escucharlo con menos frecuencia si no deseáis que enmudezca para siempre su pequeña melodía.

Así pues, el pájaro no cantaba más de una vez al año. Pasaron cinco años. El estado de salud del emperador empeoró y se temía por su vida.

En sus amplios aposentos, el soberano, pálido y helado, esperaba la muerte. Reinaba el silencio y todo el mundo aguardaba el día en que el pájaro de plata se pusiera a cantar.

No obstante, el emperador todavía no estaba muerto. Una noche, más cansado que de costumbre, abrió los ojos y vio que la Muerte se aproximaba hacia él. Se sentó entre el pájaro de plata y su cama. En sus manos sostenía un gran sable de oro y una bandera de victoria.

—¿Te acuerdas, emperador, de aquella mala acción que cometiste? —preguntó la Muerte al enfermo.

—No, no me acuerdo —respondió el hombre.

Los sirvientes creyeron que el emperador hablaba solo, así que lo dejaron y los malos espíritus todavía lo hostigaron más.

Ya en su agonía, el enfermo llamó al pájaro mecánico.

—¡Canta para mí! ¡No me abandones!

Pero el pájaro de plata no respondió nada y el emperador permaneció en la penumbra, a merced de la Muerte que reía a su lado.

De repente se oyó una melodía conocida. Era el ruiseñor de carne y hueso que llegaba para consolar al emperador. Posado sobre el marco de la ventana, arrojaba sus alegres trinos. Su canto sedujo a la Muerte.

—Canta más —le dijo la Muerte—y te daré mi sable.

Y el pájaro cantó.

La Muerte, melancólica, abandonó una a una sus joyas y se esfumó como la niebla.

—Gracias, mi pequeño ruiseñor. Gracias por haber salvado a quien tan mal te trató. Acepta mis pobres disculpas. ¿Cómo puedo recompensarte ahora?

—No necesito nada —respondió el ruiseñor—. Un día vi las lágrimas de mi emperador. Vi la bondad de vuestro corazón. Los malos consejeros que os rodean os han guiado por el mal camino y yo no os deseo ningún mal. Dormid ahora. Recuperad vuestras fuerzas.

—Pero, dime, ¿te quedarás a mi lado? –preguntó el monarca.

—Me quedaré hasta que os encontréis mejor, pero vuestro palacio no es lugar donde construir mi nido. Por las noches vendré y cantaré las bondades de la tierra para vos. Pero os pido un deseo…

—¿Cuál? –inquirió el emperador.

—Nunca deberéis revelar que tenéis cerca de vuestro corazón a un pájaro que os lo cuenta todo y os guía.

El hombre prometió guardar el secreto y se durmió. Su sueño fue largo y reparador. Cuando despuntó la aurora y el mal canciller y el ambicioso maestro de música fueron a ver si el enfermo ya se había muerto, se lo encontraron mirándolos, impasible y con una sonrisa en los labios.

El emperador vivió largos años todavía, fue amado por su pueblo, cuyas miserias conocía gracias al canto del ruiseñor, y desterró a los malos consejeros.

En cuanto al pájaro de plata, se cuenta que por la noche, cuando todo el mundo duerme, el ruiseñor va a verlo, le da cuerda y se pone a cantar con él.

El rey de los pies sucios
Cuento indio

Érase una vez, en un reino muy lejano, un rey que nunca se lavaba. Ésa era la razón de que oliera tan tremendamente mal, pero nadie se atrevía a decírselo porque era el rey. A veces recorría su reino con los cortesanos, los servidores, los soldados y los elefantes.

La gente estaba tan impresionada por el fausto de su séquito que no se daba cuenta de su mal olor o pensaba que procedía de los elefantes.

Un día, el rey llegó a un pueblo que no conocía. Una niña se acercó para ponerle un collar de flores en el cuello.

El rey le dirigió una sonrisa real, pero la pequeña arrugó la nariz con una mueca:

—¡Puaj!, qué mal hueles… —dijo tan fuerte que todos la oyeron.

—¡Tontaina! Es nuestro rey, y nuestro rey no huele mal —gritó la madre tirándole de la oreja.

—¡Sí!, ¡Huele mal! –insistió la niña—. ¿Tú nunca te lavas? —preguntó al rey.

—¿Y por qué habría de lavarme? ¿Tú te lavas? —preguntó el monarca a un cortesano que estaba al lado.

El cortesano tuvo que admitir que él se lavaba, incluso muy frecuentemente.

Todos aquellos a quienes el rey planteó esta pregunta respondieron del mismo modo. El rey se sintió incómodo.

—Hoy mismo me lavo —declaró el monarca—. Aquí y ahora, en este río.

Se montó un gran zafarrancho y se instaló un biombo en el río para que el rey pudiera lavarse sin ser importunado. Todo el mundo contuvo la respiración cuando el rey entró en el agua, pero apenas el agua se hubo llevado las primeras burbujas de jabón, el rey comenzó a cantar.

—Tendré que bañarme más a menudo —dijo al salir del agua—. Puede que el año próximo.

Se secó y se puso una magnífica y limpia indumentaria. Fue entonces

cuando se dio cuenta de que tenía de nuevo los pies sucios. ¡Imposible que no lo estuvieran ya que la orilla estaba cubierta de polvo!

El rey volvió a lavárselos, pero cuando caminó por la orilla, se ensuciaron de nuevo. Ordenó entonces que limpiaran la orilla y todo el mundo se puso manos a la obra. Entonces, el rey salió del agua, pero apenas había dado unos pasos, sus pies estaban más sucios que antes. ¡Imposible que no lo estuvieran, pues con el agua la orilla estaba cubierta de barro!

El rey regresó al agua, se lavó los pies y salió del río varias veces seguidas.

Y hubiera continuado haciéndolo si una niña (ya habréis adivinado cuál) no hubiera ido a buscar una bonita piel de cabra para extenderla delante del monarca.

Éste salió del agua, dio algunos pasos y sus pies todavía estaban limpios. Pero había llegado al borde de la alfombra y le hubiera gustado visitar de este modo todo su reino.

—¡Que cubran mi reino con una alfombra —ordenó—. Así tendré los pies siempre limpios.

A partir de ese día, el rey siempre tuvo los pies limpios, pero nadie acudía a darle la bienvenida: la gente lo miraba desde lejos, con aire triste.

Un año más tarde, regresó al río para tomar otro baño. Nadie fue a recibirlo, salvo una niña (¿tengo que deciros cuál?)

—¿Por qué no viene la gente a recibirme?, ¿y por qué están tan tristes?

—No han comido nada —respondió la niña—. Has cubierto tu reino con una alfombra y ya nada crece en él.

—¿Qué debo hacer? —preguntó el rey contemplándose pensativo los pies limpios—. ¡No voy a ensuciarme los pies al caminar!

—¡Déjame que me lo piense un poco!—suspiró la niña.

Regresó un instante más tarde con un par de tijeras. Cortó la alfombra de cuero alrededor del pie de izquiedo del rey y después alrededor del pie derecho. Después, envolvió con los trozos de cuero los pies del monarca y los ató con unos cordones de piel que anudó al tobillo.

—¡Listo! —exclamó-. Ahora tienes tus propios trozos de cuero en los pies, que siempre estarán limpios vayas donde vayas.

Y fue de este modo como se hizo el primer par de zapatos.

En el reino no tardaron en recortar la alfombra de cuero y todo el mundo tuvo sus propios zapatos y… los pies limpios.

El león fiel

Cuento congolés

Había una vez un jefe de una tribu que era muy cruel con sus súbditos, a los que exigía una obediencia ciega. Por esta razón le hacían ofrendas de sus bienes más preciados y al llegar la noche, aunque estaban muy cansados, bailaban para él.

Un día, uno de sus súbditos se rebeló: ya no quería someterse a tantas órdenes y decidió irse a la sabana.

—Serás presa fácil de los animales salvajes —le dijeron sus amigos.

—Un hombre inteligente siempre consigue hallar una solución. Prefiero morir antes que continuar viviendo sin libertad.

Decidió no escuchar más los consejos de sus amigos, tomó la lanza y dejó la aldea. Enfadado como estaba, se marchó en el acto y vivió algunos días en la sabana, alimentándose de lo que cazaba y apagando su sed con el agua del río. Un día, la hierba empezó a ondularse y de los arbustos salió un león enorme.

El hombre agarró su lanza y esperó a que el león se moviera. Cuál no sería su sorpresa, cuando la fiera no lo atacó, se paró y, gimiendo, le tendió la pata. Entonces el hombre se percató de que el animal estaba herido y que se le había clavado una larga espina.

«El león es un poderoso enemigo —pensó el hombre—, pero ayudar a un enemigo caído es una prueba de nobleza. Debo superar mi miedo.»

Dominó el terror y se aproximó lentamente, paso a paso. Dejó la lanza sobre la hierba, se arrodilló delante del león y le sacó delicadamente la espina. A continuación, vendó la herida con un trozo de tela

que arrancó de su propia camisa.

El león, que valoró que el hombre lo hubiera ayudado, rugió como muestra de agradecimiento y ya no lo abandonó. Una vez que estuvo curado, cazó junto a su salvador y la amistad entre el hombre y el animal se fue haciendo cada día más y más grande.

Al cabo de algunos meses, el hombre y el león decidieron regresar a la aldea. Los habitantes, aterrorizados por la fiera, se escondieron en los alrededores, pero el hombre les dijo que no tenían nada que temer. El león no haría daño a la gente buena, sólo estaba ahí para castigar al tirano.

El jefe de la tribu, al percibir que había llegado su hora, huyó a todo correr y no regresó nunca más a la aldea. Desde ese día, todos vivieron en paz. El hombre sabio fue elegido jefe de la tribu y la dirigió con honestidad y justicia. El león protegía la aldea de los invasores y cazaba en compañía de su amigo los animales necesarios para alimentar a su gente.

Historia del sabio y el gallo de oro

Cuento ruso

Más allá de las nueve tierras y más allá de los nueve mares vivía el poderoso soberano de un vasto imperio, el Gran Zar. Como deseaba disfrutar de una vejez tranquila, llamó a un sabio y le preguntó:

—Dime cómo puedo saber cuándo un enemigo prepara un ataque contra mi imperio. Si lo supiera, podría vivir en paz.

El sabio hizo una reverencia y prometió hallar una solución. Al cabo de una semana, regresó a la corte con un joven gallo de oro bajo el brazo.

—Zar nuestro, debéis colocar este pájaro encantado en lo alto de vuestro castillo. En tiempos de paz, permanecerá silencioso, pero en cuanto se ponga a gritar y a batir las alas, vuestros soldados deberán afilar los sables.

El zar dio las gracias por tan valioso guardián:

—Dime, ¿qué quieres a cambio de esta maravilla?

—Por el momento, no os pido nada; pero llegará un día en que tendréis que satisfacer uno de mis deseos.

El zar estuvo de acuerdo e instaló el gallo de oro en lo alto de su castillo. Los años pasaron y el gallo permanecía en silencio. Sin embargo, el séptimo año, el gallo se puso a batir las alas y a gritar:

¡¡Kikirikí, kikirikí, terminó el descanso!!

Inmediatamente sonaron los redobles del tambor, indicando a todos los hombres que tomaran las armas. El zar encargó a sus dos hijos que se dividieran el mando del ejército. Los guerreros partieron, pero el gallo no se tranquilizaba. Fueron muchos los días que gritó a pleno pulmón; finalmente, calló. Ante este misterio, el rey mandó llamar al sabio para comprender qué había pasado; pero ni siquiera él podía hallar una explicación.

El rey esperó en vano el retorno de sus hijos. Acabó pues por reunir a un grupo de hombres leales y partió al campo de batalla. No tardaron en ver un claro dónde se levantaba una tienda de seda. En torno a ella yacían unos soldados sin vida, entre los que se hallaban los dos hijos del zar. Éste cayó de rodillas y se puso a llorar. Pero he aquí que el sabio le dijo:

—Mi zar, ¡mirad los sables de vuestros dos hijos! Han luchado el uno contra el otro y se han matado.

—No, no lo puedo creer —se sorprendió el zar—. ¡Mis hijos se querían!, ¿por qué iban a luchar entre sí?

De repente, la tienda de seda se abrió y salió una muchacha. Era de una belleza increíble. ¡La reina de Shamaján! Radiante como la aurora, se acercó lentamente al zar y le tomó de la mano. El anciano rey olvidó su imperio, olvidó la derrota y olvidó incluso a sus hijos ante esa muchacha resplandeciente como el sol. Ella era la gran vencedora, la

que había subyugado a todos los guerreros. Los servidores del zar, a su vez, se inclinaron hasta el suelo ante ella y alabaron su gloria. Sólo el sabio se resistió a su encanto e intentó que el zar entrara en razón:

—Zar mío, ¡vuestros hijos perdieron la vida por amor a esta muchacha! En el fondo de sus ojos, sólo hay odio. El que sucumba a su hechizo tendrá un final desgraciado.

El zar, sin embargo, no lo escuchaba. Siguió a la reina hasta la tienda, donde la bella servía manjares deliciosos y vinos embriagadores. Así transcurrieron varias semanas, hasta que la reina declaró:

—¡Llévame a vivir a tu palacio y reinaré a tu lado!

Como éste era el único anhelo del zar, se preparó el regreso. El sabio intentó detenerlo inútilmente, pues el soberano parecía haberse vuelto ciego y sordo. El cortejo oficial atravesó el país y por todas partes los súbditos se alegraban, pues la belleza de la prometida del rey les nublaba la vista. Cuando entraron en la ciudad, el gallo se puso a cantar:

Kikirikí, kikirikí, ¡llega el peligro cubierto de oro!

El sabio se arrojó a los pies del caballo del zar.

—Zar mío, ha llegado el momento de que cumpláis lo que me habíais prometido.

—De acuerdo, ¿qué deseas?

—¡Entregadme a la reina de Shamaján!

—¿Te has vuelto loco?, ¡es mi prometida!

—Os la pido para evitar una desgracia —contestó el sabio.

Pero el soberano olvidó su promesa y su honor. Ordenó a sus guardias que arrestaran al sabio y lo encarcelaran. En ese mismo momento, el gallo se puso a gritar:

¡Kikirikí, kikirikí, injusticia, dolor y desgracias!

Desplegó las alas, se posó sobre la cabeza del zar, le dio un picotazo y el zar cayó. Las cadenas que sujetaban al sabio se rompieron y la reina de Shamaján se desvaneció como el humo.

Cuando el zar volvió en sí, no recordaba nada. Tampoco sus súbditos se acordaban de nada. Solo el anciano sabio sabía que había salvado el imperio. Volvió a colocar el gallo de oro en su lugar y los años transcurrieron tranquilamente. El país prosperó y las tumbas de los guerreros se cubrieron de flores.

Esta historia demuestra que sólo la sabiduría y la sensatez pueden protegernos del infortunio.

Inteligencia y bondad
Cuento sueco

Cuando llega el invierno y la naturaleza se cubre de nieve, los campesinos no suelen tener grandes ocupaciones. A pesar de esto, a un campesino audaz y hábil nunca le faltan proyectos que llevar a término. Uno de esos, a quien le gustaba tallar cucharas, cuencos y cazos de madera, se puso también a fabricar toneles.

Un tonel no es tan sencillo de hacer, pues debe estar bien ensamblado y no tener fugas ya que contiene cerveza en fermentación. Como trabajaba concienzudamente, los vecinos cercanos y lejanos sólo querían utilizar sus toneles.

Un día dejó su granja en un trineo cargado con un bonito tonel que debía llevar para la boda que se celebraba en el pueblo vecino. Para ahorrar tiempo, decidió pasar por el río helado. ¡Fue en ese momento cuando aparecieron unos lobos y se pusieron a correr tras él! ¡Toda una manada salió del bosque! Su caballo era veloz y su trineo bueno

y sólido, y el campesino pensó que conseguiría despistar
a los lobos. Chasqueó el látigo y el trineo partió
como el viento. Los lobos, sin embargo,
no dejaban de perseguirlo. El pá-
nico se adueñó de él….

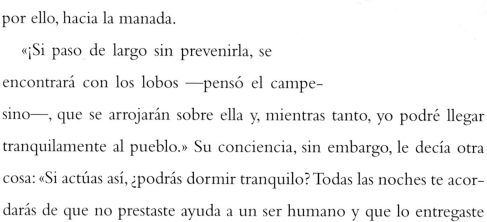

Cruzó el río helado y percibió
una sombra a lo lejos, delante de
él. Parecía un revoltijo de harapos,
pero se dio cuenta de que se trataba de una anciana coja, una mendiga. Se dirigía hacia el trineo y,
por ello, hacia la manada.

«¡Si paso de largo sin prevenirla, se
encontrará con los lobos —pensó el campe-
sino—, que se arrojarán sobre ella y, mientras tanto, yo podré llegar
tranquilamente al pueblo.» Su conciencia, sin embargo, le decía otra
cosa: «Si actúas así, ¿podrás dormir tranquilo? Todas las noches te acor-
darás de que no prestaste ayuda a un ser humano y que lo entregaste

a la muerte. Párate y salva a esta persona antes de que los lobos salten sobre ella.»

Otra voz, más tentadora, intentaba convencer al campesino de lo contrario: «De todos modos, no vas a poder salvar a esta mujer. Si la recoges, el trineo será más pesado, el caballo irá más despacio y nunca llegaréis al pueblo. Los lobos os atraparán y os devorarán a ti y a la anciana, cuya vida no tiene el menor valor. ¡Es sólo una pobre e inútil mendiga! ¡No arriesgues tu vida, después de todo tienes una esposa y dos hijos que alimentar!»

Era el mismo diablo quien le murmuraba estas palabras a la oreja. Tras el trineo, los lobos aullaban. El campesino tomó una decisión. Tiró de las riendas y gritó:

—¡Eh, anciana! ¡Súbete corriendo al trineo!

La mendiga no comprendía por qué el campesino quería que subiera al trineo. Sólo cuando se hubo montado, se percató del peligro. Volvió la cabeza y vio la manada de lobos.

El campesino atizó al caballo, que se lanzó a la carrera como una flecha, pero los lobos estaban muy cerca. El campesino y la mendiga distinguían el brillo de sus ojos, cómo les colgaban las lenguas y los colmillos puntiagudos.

—Hemos de prepararnos para morir —dijo el campesino.

—¿Por qué no tiramos el tonel? —preguntó de repente la mendiga—. El trineo irá mucho más ligero.

El campesino se sorprendió de no haberlo pensado antes. Entregó las riendas a la mendiga y se puso a deshacer las cuerdas que sujetaban el tonel al trineo. «No sé si bastará con esto –cavilaba—. Incluso sin tonel tendremos dificultades para llegar hasta el pueblo. El caballo está cansado y todavía estamos lejos.»

Entonces se le ocurrió una idea:

—Escucha —dijo a la anciana—. Quédate en el trineo y ve hasta el pueblo. Di a los hombres que encuentres que estoy en el camino con diez lobos y que cojan sus fusiles y vengan a buscarme.

—No comprendo nada —replicó ella.

—No importa —respondió el campesino—. Ve al pueblo y haz exactamente lo que te he pedido.

Acto seguido, saltó del trineo y se colocó debajo del tonel. La an-

ciana partió hacia el pueblo. Los lobos se detuvieron, husmearon la
barrica de madera y notaron que su presa estaba dentro. Arañaron la
madera con ojos centelleantes, pero el tonel era sólido y pesado, y no

conseguían moverlo. El campesino se hallaba a buen resguardo en este escondite improvisado.

«Ves —le dijo la voz de la conciencia—, la inteligencia nos permite huir del peligro pero no siempre es suficiente, la bondad también es importante. Te has apiadado de la pobre mendiga y le has salvado la vida. Has sido generoso con ella y este sentimiento te reconfortará el corazón hasta el final de tus días.»

El campesino meneó la cabeza. Sabía en el fondo de su ser que era verdad. ¿Y el diablo? Se callaba. ¿Qué podría haber dicho? Sabe muy bien que no tiene ningún poder sobre la gente bondadosa.

La muchacha que se transformó en piedra
Cuento de los indios americanos

Junto al manantial de un río transparente vivía la tribu de los indios arikara. En uno de los tipis del campamento había una joven muy bella, que superaba en hermosura a todas las jóvenes de la región.

Sin embargo, esa bonita muchacha huía de la gente y evitaba jugar con otros niños de la tribu. Cuando acababa de arreglar su tipi, llamaba a su perrito negro con manchas blancas y desaparecía inmediatamente por el bosque o la pradera.

Allí pasaba horas y horas conversando con los pájaros y con los animales más pequeños, con las flores y los árboles. Sabía hablar el mismo idioma que ellos.

Cuando la muchacha alcanzó la edad casadera, los jóvenes empezaron a cortejarla. A todos les hubiera gustado convertirla en su esposa; aunque sentían en el fondo de su corazón que ella nunca sería capaz de entregar a un hombre un amor verdadero.

—Mi hogar es la pradera y el bosque —explicaba a quienes pedían su mano—. Yo pertenezco al mundo de los que corren a cuatro patas, de los que vuelan, de las criaturas que florecen en la hierba y de las que tienden sus ramas hacia el cielo. Son todos amigos míos y es con ellos con quien me entiendo mejor.

La abuela, cuya preocupación por su nieta crecía al verla cada vez más triste, la llamó un día para decirle:

—Veamos, esto no puede seguir así, hijita mía. Tienes que casarte y criar a tus hijos. Nuestra tribu desaparecerá si no hay niños.

Y la abuela insistió tanto y suplicó tanto a su nieta que se casara, que ésta acabó por resignarse:

—Haré lo que quieres, abuela. Me casaré con quien sea, no importa con quién: el primer novio que se presente será mi esposo. Pero estoy segura de que de esta unión no saldrá nada bueno. Soy diferente de las demás muchachas y la madre Naturaleza no desea que me case.

Tres días después de su boda, la joven fue a visitar a su abuela. Triste y abatida, se sentó en un rincón sin decir palabra.

—¿Por qué estás tan cabizbaja, pequeña mía? —se preocupó la abuela—. ¿Acaso te maltrata tu marido?

—Oh, no, al contrario. Si se lo pidiera, me traería la luna. Lo que sucede es que no puedo amarlo.

Dicho esto, se levantó y se dirigió lentamente hacia el bosque.

Asustada, la abuela siguió sus pasos a hurtadillas. La descubrió sentada al pie de un viejo arce.

—Hijita mía, cuéntame con toda sinceridad lo que te atormenta —dijo la abuela sentándose sobre una piedra al lado de su nieta.

—Recuerda, abuela —contestó la joven dando un profundo suspiro—, que no quería casarme. Ahora sufro de desesperación. No amo a mi marido, aunque es un hombre honesto y amable. Yo soy de otro mundo. Pertenezco a la naturaleza y quiero volver a ella.

La abuela se levantó y, sin pronunciar palabra, regresó al campamento dejando a su nieta sola con sus pensamientos. Pronto la noche envolvió el lugar con su negrura y la joven todavía no había regresado del bosque. Al día siguiente, en cuanto amaneció, los jóvenes de la tribu partieron en su busca. La descubrieron en la cumbre de un monte que dominaba la pradera.

La mitad inferior de su cuerpo se había transformado en piedra.

Los muchachos regresaron corriendo a la aldea. El jefe convocó enseguida a todo el mundo y juntos partieron hacia la pradera. Cuando llegaron a la cima del monte, el jefe sacó su pipa sagrada y se dispuso a introducirla en la boca de la joven, para que el Gran Espíritu la iluminara. Pero ella volvió la cabeza:

—No rechazo el humo de la pipa sagrada por falta de respeto hacia las leyes de nuestra tribu. Me aparto de la gente entre la que he vivido. Tenéis que saber que yo pertenezco a la naturaleza. Cuando ya no esté con vosotros, sentiréis de todos modos mi presencia gracias al perfume de las flores, me reconoceréis en el vuelo libre de las aves y me escucharéis en el dulce murmullo de las hojas de los árboles.

Con estas palabras, la otra mitad de su cuerpo también se transformó en piedra. Y el perrito que aguardaba a sus pies se petrificó a su vez. Desde entonces, la joven de piedra continúa erguida e inmóvil, entre sus hermanos y hermanas, las flores y los pájaros, las piedras y las nubes que navegan por las alturas celestiales.

La prueba del sultán Harún al Kebal

Cuento de Oriente Medio

Cuando Harún al Kebal ocupó el cargo de sultán, oyó una voz que le decía:

«Harún, en tu juventud, tu suerte te abandonará por siete años. Esta prueba comenzará en el momento requerido pero sólo llegará a su fin cuando el visir del sultán te haya dado un bofetón.»

Un día, mientras llevaba un saco lleno de oro en una de sus mulas, Harún al Kebal vio que el animal se hundía en la tierra con el tesoro.

—¡Han empezado mis siete años de prueba! —exclamó.

Harún al Kebal compró entonces una túnica vieja y un cordero. Se puso la túnica, mató al cordero y se pasó su vejiga por la cabeza para desfigurarse el rostro. Acto seguido, emprendió el camino hacia el vasto mundo.

Un día llegó a una ciudad. Se detuvo delante del puesto de un vendedor de buñuelos y le pidió trabajo.

—De acuerdo —respondió el tendero—. Levántate pronto mañana, prepara los buñuelos y espérame.

Y Harún trabajó tan bien que preparó y vendió más buñuelos de los que nunca había visto el tendero. Así fue como, al poco tiempo, el patrón se hizo rico. Tal fortuna, sin embargo, procedía únicamente de ese andrajoso a quien el tendero llamaba Baldí.

—Escúchame —le dijo un día—. Deberías casarte. Pero antes tienes que lavarte y ponerte una ropa decente.

Le mandó que se lavara en la fuente, justo bajo el palacio del sultán.

Tras haberse cerciorado de que nadie pudiera verlo, Harún se sacó la túnica y su magnífico traje de oro centelleó bajo el sol naciente. Después, se quitó la vejiga de cordero y apareció su rostro, hermoso como el sol. Justo en ese momento se le ocurrió a la más joven y bella de las siete hijas del sultán mirar por la ventana de palacio.

Al ver el rostro de Harún, el amor invadió su corazón. A partir de ese día, no hacía más que pensar en el joven, pues había decidido casarse con él. Como no se atrevía a comunicárselo a su padre, fue a consultar a un anciano sabio, que advirtió al sultán de que había llegado el momento de que sus hijas contrajeran matrimonio.

El sultán mandó preparar un gran banquete al que fueron invitados todos los jóvenes solteros para que las hijas eligieran marido. Las seis mayores no tardaron en decidirse; sólo la más joven parecía no encontrar al elegido por su corazón.

Cuando llegó Baldí, lo recibieron con bromas e insultos, pero todos enmudecieron de sorpresa cuando la princesa declaró decididamente:

—Baldí será mi marido.

—¡Te has vuelto loca, hija mía! —exclamó el sultán estupefacto—. Pero ¡si esto es lo que deseas…!

Y así fue cómo la princesa se casó con un miserable vendedor de buñuelos. Vivía con su esposo en una modesta cabaña y era muy feliz con él. Sin embargo, no soportaba que sus hermanas se rieran de él y un día le confió su preocupación.

—Sé que no tengo por qué avergonzarme delante de sus maridos —respondió Baldí—. Si son mejores, que lo demuestren llevando al sultán una manzana de la juventud del jardín de las Ninfas. ¡Ve a decirles esto delante de tu padre!

¿Cómo no iba a querer el sultán una manzana de la juventud? Los yernos ensillaron sus caballos y partieron de la ciudad con una bolsa bien llena al cinto. Baldí se montó en su mula, sin ni siquiera una moneda. No dudó, sin embargo, en escalar siete montañas, cruzar siete ríos y atravesar a nado siete mares para llegar al jardín de las Ninfas. Allí llenó un saco entero de manzanas de la juventud.

De regreso a la ciudad, se disfrazó de vendedor ambulante y esperó a sus cuñados al borde del camino. Éstos no tardaron en llegar.

—¿Adónde vais? —les preguntó.

—A buscar las manzanas de la juventud.

—¡Habéis perdido la razón? —preguntó Baldí—. ¡Es tan peligroso que moriríais en el camino! Pero, si queréis, puedo vendéroslas.

—¡Te las compramos! —exclamaron los cuñados—. ¿Cuánto quieres por ellas?

—No deseo ni oro ni plata. Sólo que cada uno de vosotros me dé un dedito del pie.

—¡No es nada caro! ¿Y quién va a darse cuenta de que nos falta un dedo del pie dentro del zapato?

Todos dieron un dedo del pie a cambio de una manzana de la juventud, y Baldí guardó cuidadosamente su botín dentro de una bolsita.

Los cuñados llevaron al sultán lo que había solicitado y las cuñadas redoblaron sus quejas contra Baldí, que llegó con las manos vacías. La princesa se entristeció mucho.

—Sé que no tengo de qué avergonzarme delante de sus maridos —la consoló Baldí—. ¡Si son mejores, que lleven magníficos regalos al sultán!

El anciano sultán preparó entonces un suntuoso banquete para que sus yernos le comunicaran qué iban a ofrecerle.

Uno propuso diez mil monedas de plata; el otro, veinte mil; el

tercero treinta mil… En cuanto a Baldí, propuso diez mil vacas y el mismo número de corderos y camellos, ¡y cien mil monedas de oro!

—¡Te prohíbo que te burles de nuestro sultán! —gritó el visir montando en cólera.

Y le dio un bofetón.

—Apunta bien lo que dice, visir —dijo el sultán—. Ya veremos si mantiene la palabra.

Ese mismo día, Baldí envió un mensajero a su primo para que le mandara todo lo que necesitaba. Al día siguiente, a las puertas de la ciudad, se agolpaba una muchedumbre de portadores y camellos cargados de ofrendas. Baldí guiaba esta caravana. Ya no tenía la vejiga de cordero en la cabeza y una amplia túnica de oro flotaba en torno a sus hombros.

—Soy el sultán Harún al Kebal —se anunció Baldí a su suegro, al tiempo que le tendía un saco lleno de manzanas de la juventud y una bolsita con los dedos pequeños.

A continuación le explicó de dónde procedían los dedos. ¡Cuál no fue el enfado del sultán cuando, por orden suya, los yernos se quitaron los zapatos! A todos les faltaba el dedo pequeño. Como lo habían engañado, los echó de la corte y nombró a Harún al Kebal su consejero y sucesor.

Habían transcurrido los siete años de infortunio de Harún al Kebal y el visir del sultán le había abofeteado. Vivió feliz con su princesa hasta el fin de sus días.

Un caballo ingenioso

Cuento tradicional

Érase una vez un viejecito y una viejecita que vivían en una cabaña. Cultivaban sus tierras y cuidaban de su jardín. En esa vida que poco tenía de divertida, una sola cosa les proporcionaba alegría: su caballito. Tiraba del carro en el campo, de la carreta llena de leña en el bosque y, cuando había fiesta, el viejecito y la viejecita se subían al carro y gritaban alegremente:

—¡Vamos, pequeño!, ¡vamos a ver a nuestro hijo al pueblo vecino!

Ese caballo era su mejor amigo. Lo adornaban, trenzaban cintas en su crin, ponían a secar el heno para él y lo llevaban a los mejores prados a pastar, al borde del bosque.

Un día el caballo se fue a pasear solo: era mediodía y el viejecito y la viejecita estaban comiendo. De repente surgió un lobo negro del bosque.

—¡Frena, caballo! ¡Voy a comerte!

—Mis patas son veloces y puedo correr tan rápido que tú no me atraparías jamás –respondió el caballo.

—Puede que no te alcance —admitió el lobo—, pero por la noche, cuando estés en el establo, cavaré una agujero bajo la pared y te comeré.

—El perro empezará a ladrar cuando te huela y el viejecito cogerá su fusil —replicó el caballo.

—Tal vez suceda así —respondió el lobo—. Ten en cuenta, de todos modos, que puedo acecharte en cualquier lugar. Cuando vayas a buscar leña en el bosque, llamaré a mis hermanos. Todos juntos nos lanzaremos sobre ti y sobre tu amo: será vuestro fin. No podrás huir de nosotros.

«Esto puede ocurrir tal como lo cuenta —pensó el caballo—. No sólo correré yo un gran riesgo, sino también mi amo. ¿Qué hacer?»

Se quedó meditando hasta que se le ocurrió una idea.

—Escucha lobo, vamos a pelear. No dudo de que tú seas muy fuerte, pero yo también lo soy, y aquí no hay sitio para los dos. El vencedor tendrá el derecho de comerse al perdedor. Si tú eres el vencedor, me comerás; ni huiré ni me defenderé. Pero si soy yo el que gana, te comeré. ¿Qué opinas?

El lobo reflexionó un poco: no le pareció mala idea.

—De acuerdo. Me parece justo que cada uno de nosotros ponga al otro a prueba.

—Está bien —convino el caballo.

—En nuestra manada, elegimos al fuerte por la potencia de su aullido —comenzó el lobo—. El que haga caer más ramas de los árboles sólo con su grito será el vencedor.

Tras estas palabras, el lobo levantó la cabeza y emitió un terrible aullido. Las ramas se rompieron y cayeron por el suelo. Había tantas que era imposible contarlas.

Entonces le tocó el turno al caballo. Levantó la cabeza y relinchó con fuerza. Apenas había concluido, cuando todo el árbol cayó.

—Has ganado —reconoció el lobo—. Pero todavía nos queda pasar una prueba.

—El más fuerte será el que haga fuego con esta piedra —dijo el caballo—. ¡Inténtalo!

El lobo dio una patada contra la piedra y gimió de dolor. Lo intentó una segunda vez, perdió una de sus garras y aulló de dolor. Lleno de enfado, se volvió hacia el caballo:

—¡Una piedra así no da fuego!

—¿No? —preguntó el caballo con sorna, al tiempo que daba una coz contra la piedra.

Una chispa cayó en la hierba y el fuego ardió a continuación. El lobo se acurrucó por temor al fuego. El caballo apagó el fuego con su casco y dijo:

—Así pues, ¡he ganado! Tengo derecho a comerte.

El lobo se hincó de rodillas, levantó las patas y suplicó.

—¡No, no me comas! ¡Si me permites salvar la vida, mis hermanos y yo abandonaremos la región y no os asustaremos nunca más!

—Cierto que tengo hambre —contestó el caballo dando un chasquido con la boca—, pero no te quitaré la vida, si me juras que nunca más volverás a este lugar, ni tú ni los de tu especie.

El lobo se lo prometió y se marchó, raudo como una flecha, hacia el bosque.

«La gente estará contenta de haberse librado del lobo y de no verlo más —pensó complacido el caballo—. Por fin todos podrán ir al bosque sin tener miedo a ser comidos.»

Reyes, princesas, diablos y brujas

La bruja de los cabellos largos

Cuento serbio

Érase una vez un príncipe que recorría el ancho mundo en busca de una esposa. Conoció princesas, todas ellas diferentes, pero ninguna consiguió inflamar su corazón de pasión. Desesperado de estar siempre solo, pensaba: «¡Prefiero incluso morir antes que llevar una vida tan triste!»

Así pues, subió a la cima de una montaña para lanzarse al vacío. Pero ya estaba inclinándose sobre el abismo, cuando oyó una voz:

—¡Párate, muchacho, todavía puedes hacer mucho por tu prójimo!

El príncipe se quedó inmóvil. Se dio la vuelta y vio a un noble anciano con una barba que le llegaba hasta la cintura.

—¿Qué puedo hacer por mi prójimo? —preguntó el príncipe.

—Podrías salvar numerosas vidas y encontrar, además, a una esposa única en el mundo —respondió el anciano.

—Si es así —convino el príncipe—dime qué debo hacer y te obedeceré.

—Observa la montaña que está ahí enfrente. Crees estar viendo columnas de mármol, pero en realidad se trata de seres humanos petrificados. La bruja de los cabellos largos los ha hechizado y tiene en su poder a una hermosa joven. No obstante, tú puedes liberarlos a todos.

—¿De qué modo? —preguntó el príncipe.

—Debes acercarte a la bruja sin que ella se dé cuenta y agarrarla por el cabello, pues es ahí donde reside su fuerza. ¡Pero no la mires a los ojos! Si lo haces, te transformará en piedra como a los demás.

Cuando te suplique que la dejes, le pedirás que, a cambio, te dé uno de los pájaros que tiene sobre las rodillas.

—¿Pero cuál de ellos tendré que escoger?

—Eso no te lo puedo decir. Pero si has elegido bien, liberarás a toda esa pobre gente y obtendrás a la joven que no tiene igual en el mundo entero.

El príncipe emprendió camino hacia la montaña sin tardanza. Avanzaba con precaución por las hondonadas para que la malvada bruja no lo viera. Una vez que llegó a las columnas de mármol, se escondió detrás de ellas. Vio entonces una casa muy bonita. Una mujer

negra estaba sentada a la entrada. Su rostro era oscuro como la noche, sus cabellos llegaban al suelo y una bandada de pájaros piaba sobre sus rodillas.

El príncipe se acercó de puntillas por su espalda y, antes de que la bruja pudiera reaccionar, ¡la agarró por el cabello!

—¿Quién eres y qué te trae por estos lugares? —preguntó la malvada mujer.

—Soy el príncipe de un lejano país y busco a una esposa que no tiene igual en el mundo entero.

—Esa hermosa joven se ha escondido entre todos estos pájaros. Si la reconoces, será tuya —respondió la bruja.

El príncipe observó con mucha atención a los pájaros. Todos eran muy bonitos y multicolores, y sólo uno era grisáceo, muy normal. «¡Éste no puede ser la princesa embrujada!», pensó.

Pero el pájaro, como si leyera sus pensamientos, cantó con tanta pena que al príncipe se le encogió el corazón.

—¡Quiero éste!

La bruja, enojada, gritó y se retorció como una serpiente, pero el príncipe se había enroscado el cabello alrededor de las muñecas y la agarraba con fuerza.

—¡Bueno, bueno, de acuerdo! La princesa es tuya —acabó por admitir.

Y en cuanto lo hubo dicho, el pajarito se transformó en una criatura tan bella que ninguna otra muchacha en el mundo podía igualarla. El príncipe la miró e inmediatamente su corazón se inflamó de amor. Ni siquiera se dio cuenta de que las columnas de mármol también se habían transformado y que las personas se acercaban a él para darle las gracias por haberlas liberado del embrujo. En cuanto a la princesa, el joven la tomó por la mano y juntos descendieron la montaña. Los hombres y mujeres liberados los siguieron, el príncipe llevó a su prometida a su castillo y la boda fue célebre. Después vivieron felices, reinaron con sensatez y tuvieron muchos hijos. El príncipe no volvió a pensar en acabar con su vida para vivir feliz en el cielo. Había encontrado el paraíso en la tierra junto a su bien amada.

El diablo y Juana la Infernal

Cuento tradicional

Había una vez en un pueblecito una muchacha llamada Juana. Vivía en una cabaña con un gran jardín y poseía una pequeña fortuna. Pero aunque hubiera estado cubierta de oro, nadie, ni el más pobre de los mendigos, la hubiera querido por esposa, pues era fea, mala e insolente. Por esta razón, nunca se había casado.

El domingo por la tarde, con motivo de un baile, los jóvenes sacaban a bailar a las muchachas, pero ninguno invitaba a Juana, ni aunque ella fuera quien hubiese pagado la orquesta.

Un domingo, Juana entró en el baile, pensando mientras suspiraba: «Me gustaría tanto bailar... ¡Aunque me invitara el mismo demonio!»

Entró en el salón de baile y se sentó abatida junto a la estufa para contemplar a los bailarines.

De repente, un hombre con traje de caza se colocó a su lado, pidió una bebida y se la ofreció. Intimidada al principio, Juana la rechazó, pero después bebió un trago. El hombre sacó entonces una moneda de oro del bolsillo, la dio a los músicos y la invitó a bailar. Bailaron toda la tarde y no se detuvieron hasta ya entrada la noche, con las últimas notas de la música. A continuación, el hombre la acompañó hasta su casa.

—Me gustaría bailar con usted hasta el final de mis días —dijo Juana en el momento de separarse.

—Puedo satisfacer su deseo —respondió el hombre—. Acompáñeme.

—¿Dónde vive?

—Súbase a mi espalda y yo la llevaré.

Juana se subió a la espalda del hombre y, al instante, el hombre se convirtió en demonio y la llevó directamente al infierno. Golpeó a la puerta, sus amigos le abrieron y, viendo lo cansado que estaba, pidieron a Juana que se bajara de la espalda. Ella, sin embargo, dijo que no y se enganchó a él. El pobre diablo tuvo que presentarse así, cargando con Juana a sus espaldas, ante el señor de los infiernos.

—¿A quién nos has traído? —preguntó éste.

El diablo le contó que, mientras se paseaba, había oído que la pobre Juana se lamentaba en la tierra de no tener un caballero que la invitara a bailar, que él lo había hecho y que sólo quería enseñarle el infierno.

—¡No se me ocurrió que ya no se desprendería de mí! —se disculpó.

—¡Qué tonto eres! —gruñó Satán—. Recuerda lo que te he dicho: antes de hacer lo que sea con alguien, debes conocer sus intenciones. Deberías de haberlo pensado al acompañar a Juana a su casa. ¡Líbrate de ella!

El diablo, tristón, volvió a la tierra con Juana pegada a su espalda. ¡De nada sirvió prometerle la luna, si se bajaba!

Abatido y muy enfadado, llegó a un prado donde un pastor vigilaba las ovejas. El pastor no reconoció al diablo a causa de su traje de cazador.

—¿Qué es lo que lleva ahí, amigo mío? —le preguntó.

—Imagínese, buen hombre, que yo iba tan tranquilo cuando esta mujer se me subió de un salto a la espalda. Como no se quiere bajar, quería llevarla al próximo pueblo, pero me flaquean las piernas.

—No puedo ayudarle durante largo tiempo pues debo cuidar de mi rebaño, pero tal vez podría llevarla hasta la mitad del camino.

—Esto sería muy amable de su parte.

—Señora, ¿me oye? —preguntó el pastor—. ¡Súbase a mis espaldas!

Juana dejó al diablo y se instaló en las espaldas del pastor. Mientras el diablo se alejaba, se pusieron a hablar. La muchacha encontraba al pastor encantador y, más calmada, aceptó sin protestar bajarse al suelo. Después le ayudó a cuidar de las ovejas.

Poco a poco olvidó su vida pasada, su oro y su maldad. Y cuando el pastor le propuso que se casara con él, aceptó de buen grado.

Así fue como, por primera vez en su vida y, a su pesar, el diablo propició un acontecimiento feliz.

La princesa y el porquero

Basado en un cuento de Hans Christian Andersen

Había una vez un príncipe pobre que vivía en un reino muy pequeño y cuyo mayor deseo era casarse. Decidió, pues, pedir la mano de la hija del emperador del país vecino. Actuó de la siguiente manera:

Sobre la tumba del padre del príncipe crecía un rosal milagroso. Sólo daba una flor cada cinco años, pero su perfume era tan dulce que al aspirarlo se olvidaban todas las penas. El príncipe también tenía un ruiseñor que cantaba como si las más bellas melodías del mundo estuvieran todas encerradas en su garganta. Envió a la princesa la rosa y el ruiseñor en dos grandes joyeros de plata.

El emperador los mandó llevar a su presencia y cuando la princesa vio esas grandes cajas aplaudió regocijada.

—¡Ojalá fuera un gatito! —dijo.

Pero apareció la maravillosa rosa.

—¡Qué flor tan preciosa! —exclamaron todas las damas de honor.

Sin embargo, la princesa la tocó con el dedo y estuvo a punto de echarse a llorar.

—¡Oh, papá! —grito horrorizada—, no es artificial, ¡es auténtica!

—Antes de enfadarnos, miremos qué hay en la otra caja —opinó el emperador.

Entonces apareció el ruiseñor y se puso a cantar tan divinamente que nadie tuvo ninguna crítica que hacerle.

—¡Soberbio! ¡Encantador! –exclamaban todas las damas de la corte.

—Espero, al menos, que éste no sea auténtico –dijo la princesa.

—Pues sí, es un pájaro auténtico —afirmaron quienes lo habían llevado.

—¡Ah!, entonces que se vaya volando —mandó la princesa.

Y, por nada del mundo, aceptó recibir al príncipe. Pero él no se desanimaba. Se embadurnó el rostro de color marrón y negro, se puso un gorro en la cabeza y fue a golpear la puerta del palacio para pedir trabajo. En el acto lo nombraron porquero imperial. Le dieron una habitación al lado de la pocilga y allí se instaló para trabajar todo el día.

Por la noche, sin embargo, había construido una bonita marmita llena de campanillas. En cuanto la marmita hervía, las campanillas tintineaban y emitían una bella melodía. Pero lo más ingenioso era, sin duda, que si se ponía el dedo en el vapor de la marmita, se olía

inmediatamente qué plato se estaba preparando en cada cocina de la ciudad.

Durante su paseo con las damas de honor, la princesa pasó por delante de la pocilga y, cuando oyó la melodía, se detuvo muy contenta pues también ella sabía interpretarla.

—Conozco esta canción —dijo—. Entrad y preguntad qué cuesta este instrumento.

Una de las damas acudió a hacer lo que pedía.

—Quiero diez besos de la princesa —fue la respuesta.

—¡Cielos! —exclamó la dama.

—Ni más ni menos —insistió el porquero.

—¡Qué insolente! —contestó ella. Y se fue inmediatamente.

Pero en cuanto hubo recorrido una parte del camino, las campanillas empezaron a tintinear.

—Escucha —dijo la princesa—, ve a preguntarle si quiere diez besos de mis damas de honor.

—¡Oh, no! —respondió el porquero—. O diez besos de la princesa o ni hablar de la marmita.

—¡Qué pesadez! —dijo la princesa—. Bueno, poneos todas alrededor para que nadie me vea.

Las damas de honor la rodearon y desplegaron sus faldas, el joven recibió diez besos y la princesa se llevó la marmita. ¡Cuánto se divirtieron entonces en el castillo!

Pero el porquero no se quedó con las manos cruzadas. Al día siguiente construyó una carraca. En cuanto la hacía girar, todos los valses, galopes y polcas conocidos desde la creación del mundo resonaban chirriantes.

—¡Pero es fantástico! —exclamó la princesa cuando pasó delante de la porqueriza—. Id a preguntarle cuánto cuesta este instrumento, ¡pero decidle que ya no doy más besos!

—Quiere cien besos de la princesa —informó la dama de honor que había ido a hablar con él.

—Debe de estar loco —dijo la princesa antes de irse.

Pero tras haber dado unos pasos, se detuvo.

—Hay que animar a los artistas —declaró—. Decidle que le daré cien besos, pero poneos delante de mí.

Todas las damas la rodearon y empezó la serie de besos.

«¿Qué es esa aglomeración ahí, al lado de la porqueriza? —observó sorprendido el emperador de pie, desde su terraza—. Pero si son las damas de honor, que están haciendo de las suyas. Voy a ver qué sucede.»

—Cuando llegó al patio, se acercó sin hacer ruido. Las damas, ocupadas en contar los besos para que todo discurriera correctamente, no se percataron del emperador. El monarca se puso de puntillas para ver mejor:

—¡Esto qué es! —gritó cuando vio lo que estaba sucediendo.

Y propinó al porquero un golpe con su pantufla justo en el momento en que recibía el beso número ochenta.

—¡Fuera de aquí! —gritó el emperador furioso.

La princesa y el porquero fueron desterrados del imperio. La joven lloraba, el porquero gruñía y caía una lluvia torrencial.

—¡Ah!, soy la más desgraciada de las criaturas —gemía la princesa—. ¿Por qué no habré aceptado a ese príncipe tan encantador?

El porquero se ocultó detrás de un árbol, se limpió el rostro, tiró su vieja indumentaria y salió con su traje de príncipe, tan encantador, que la princesa hizo una reverencia delante de él.

—¡He venido para darte una lección! —dijo el joven—. Despreciaste a un príncipe leal. No apreciaste ni la rosa ni el ruiseñor, pero bien que besaste al porquero por un juguete mecánico. ¡Debería darte vergüenza!

Regresó a su reino, cerró la puerta y pasó el pestillo. En cuanto a la princesa, que se quedara fuera y cantara la canción de las campanillas, si es que le quedaban ganas.

La belleza que nació de una naranja

Cuento tradicional

Había una vez en Oriente un rey cuyo hijo no quería casarse. Un día, una anciana pidió hablar con él.

—Permitidme, señor príncipe, que os pregunte por qué os negáis a casaros.

—Las mujeres de este reino no me gustan —respondió con tristeza—. Son muy poco interesantes.

La anciana asintió y añadió:

—Conozco a una mujer de gran belleza a quien ningún ojo humano ha admirado jamás.

—¿Dónde vive esa belleza? —preguntó el príncipe.

—En un vergel, a tres días y tres noches de viaje, donde crecen siete naranjos. En uno de ellos maduran siete naranjas. Id y recogedlas todas.

El príncipe le dio las gracias, emprendió el camino y llegó al vergel. Ya había arrancado seis naranjas del naranjo indicado y se disponía a recoger la séptima, cuando la piel de la fruta se abrió y una joven espléndida, cubierta sólo con sus cabellos rubios, salió de la fruta.

El príncipe la cubrió con su capa, la instaló en su caballo y regresó con ella. Un día antes de llegar al castillo, el príncipe se detuvo junto a una fuente, al pie de un gran árbol.

—Esperad aquí, hermosa joven. Os voy a buscar ropa para cubriros.

La joven se escondió en un árbol y el príncipe se marchó. Hacia mediodía, una joven muy fea se acercó a buscar agua. Cuando se inclinó sobre la fuente distinguió el reflejo de una muchacha bellísima.

—Decidme, bella muchacha, ¿qué hacéis en ese árbol?

—Espero a mi futuro marido, el príncipe.

Un pensamiento diabólico cruzó entonces por la mente de esa horrible criatura:

—Dejad que vuestros cabellos caigan hasta el suelo para que pueda subir por ellos hasta llegar a vuestro lado.

La bella joven nacida de la naranja obedeció, y la fea se reunió con ella y le dijo:

—Apoyad la cabeza sobre mis rodillas para que pueda peinaros los rizos.

Pero apenas la joven belleza había apoyado la cabeza sobre las rodillas, la muchacha fea agarró un cuchillo y le cortó el cuello. De una gota de sangre caída junto a la fuente nació un narciso.

Cuando el príncipe regresó, se sorprendió al descubrir a una muchacha tan fea y le preguntó qué había pasado con su hermosura. Ella respondió que el sol le había quemado la piel, que un águila le había partido

los labios y que un cuervo le había despeinado el cabello. Sin percatarse del engaño, el príncipe vistió a la joven con una bella indumentaria pero, antes de partir, arrancó el narciso.

Al llegar al castillo, lo arrojó en una fuente y la flor blanca se transformó inmediatamente en un pequeño pato.

La muchacha fea, asustada, ordenó que mataran al animal. Sin embargo, de una gota de sangre caída, creció de repente un magnífico sándalo que ella mandó cortar.

La anciana, empero, acudió ese día a palacio y vio las virutas del árbol. Las recogió, las escondió en su falda y se las llevó a su casa. Apenas hubo salido de su casa, cuando una joven y bella muchacha nació de las virutas y se puso a ordenar la casa y a preparar té para la anciana. A su vuelta, ésta no podía creer lo que veían sus ojos. La joven, sin embargo, le pidió un favor a cambio de lo que había hecho en la casa:

—Me gustaría que fueras a ver al príncipe y que le dijeras que conoces a una joven que podría bordarle en poco tiempo un magnífico tapiz.

—Sé quién eres, bella muchacha. Haré lo que me pides.

Entonces se dirigió al príncipe y le repitió las palabras de la joven. El príncipe convocó a la muchacha al castillo y le hizo llegar las herramientas para tejer. La muchacha emprendió la tarea mientras cantaba:

Cuando el príncipe oyó contar
que en una naranja yo vivía,
del árbol me fue a arrancar
y en belleza me convertía.

Puesto que desnuda me hallaba,
vestido fue a buscarme,

escondida su regreso aguardaba
cuando la fea vino a atraparme.

Al árbol trepó,
mi cuello cortó,
en la hierba mi sangre cayó
y un bello narciso allí brotó.

Cuando el príncipe hubo regresado,
recogió el bello narciso,
a la fea desconocida dio el vestido
y a palacio la llevó a su lado

Al agua arrojó al narciso
y éste se transformó en pato,
pero en la corte del castillo
la fea mandó cortarlo.

La mujer fea reconoció la voz de la joven nacida de una naranja y mandó que la echaran de palacio. Pero el príncipe también la había oído. Entró en la habitación y besó a la muchacha en la frente.

—Es con vos con quien debía casarme, hermosa joven.

Ordenó que enviaran bien lejos de palacio a la fea y se casó con la bella. Los festejos nupciales se celebraron en todo el reino durante siete días y siete noches.

La princesa y el Viento

Cuento italiano

Había una vez un rey que vivía muy feliz. Tenía tres hijas, a cual más hermosa, un arcón lleno de plata y briosos caballos en su establo. De todos modos, consideraba que su bien más preciado era la corona real de oro puro, con diamantes y perlas incrustados.

Sin embargo, un día de verano, el rey fue a pasear por el jardín. Se sentó a la sombra de un árbol y se durmió con la corona a su lado. El Sol, que observaba todo lo que sucedía desde el cielo, pensó:

«Soy el señor de todo el universo y, pese a ello, no llevo una corona tan hermosa.»

Tendió entonces una mano y la cogió.

El susurro de la hierba despertó al rey, que se levantó de un brinco. ¡Demasiado tarde: la corona había desaparecido entre las nubes!

El desafortunado rey regresó a palacio por una puerta secreta y llegó a sus aposentos en secreto, pues, sin corona, tenía miedo de parecerse a cualquier otro habitante de su reino. Se encerró en su cámara y se negó a ver a todo el mundo, incluidas sus hijas.

Éstas, no obstante, quisieron saber la razón por la cual el rey se comportaba así. La menor de ellas interrumpió sus labores de bordado y se dirigió al rey, sosteniendo todavía una aguja entre sus dedos.

Entró en la habitación y le preguntó:

—¿Qué te ha sucedido, padre mío, para que te ocultes así de todo el mundo?

—No me preguntes nada si no quieres recibir un castigo.

—No me moveré por miedo a unos cuantos golpes de vara —replicó la joven con un tono severo y sin el menor asomo de temor—. Pero si no me cuentas qué te ha pasado, me arañaré la cara con la aguja que tengo en la mano y quedaré desfigurada para el resto de mis días.

El rey, miró por encima del biombo y vio que su hija tenía, realmente, una aguja en la mano.

—¡Espera! —gritó—. ¡Voy a contarte lo que ha pasado! Tal vez encuentres solución.

Y contó a la joven su desventura.

—Si es así —dijo la joven—, iré a ver al Sol y te devolveré tu corona.

El rey se alegró y su hija emprendió el camino. Anduvo durante

largo tiempo hasta que llegó a una cabaña en el bosque. Abrió la puerta y casi cayó, empujada por una corriente de aire.

«¡Ah, ya sé de quién es esta casa —pensó—. Seguramente es la casa del Viento. ¡Pero, qué desorden! Creo que me voy a poner inmediatamente manos a la obra.»

La joven arregló la casa, puso la mesa y preparó la comida. La tarea no era fácil, pues había tal corriente de aire que se le volaban las cosas de las manos.

Al anochecer llegó el Viento. Era un joven guapo y alto que gustó a la princesa en cuanto lo vio. Un sentimiento recíproco, claro, pues no todos los días se encuentra uno con una princesa tan bonita.

Comieron juntos y no tardaron en ponerse de acuerdo: el Viento llevaría a la princesa hasta el Sol para que pudiera recuperar la corona de su padre.

A la mañana del día siguiente, el Viento tomó a la joven entre sus brazos y la llevó delicadamente en presencia del Sol.

—¡Sol, he venido a buscar lo que no tenías derecho a quedarte! —gritó la princesa.

—Estaba en mi pleno derecho —respondió el Sol—, ya que soy el monarca más poderoso del universo. Es pues a mí a quien corresponde poseer la más bonita y preciosa de todas las coronas.

—Hay algo cierto en lo que dices —reconoció la princesa—, pero mi padre está triste y añora su corona, que ya debe de estar pesándote en la cabeza.

—Tienes razón —convino el Sol—, ya hace varios días que avanzo con dificultad y la cabeza se me está inclinando hacia la Tierra… Tal vez sea que me pesan los remordimientos. Toma la corona y devuélvesela a tu padre, yo me haré otra más ligera y todavía más bonita.

—La princesa le dio las gracias y tomó la corona. El Viento la llevó a la Tierra con la misma delicadeza que antes.

—Estoy triste de pensar que vamos a separarnos —le confesó el Viento a la princesa.

—¡Ni hablar de separarnos! —respondió ella—. Cuando lleve la corona a mi padre, no podrá negarme nada de lo que le pida. Así que aceptará que nos casemos.

Y así fue. El rey aceptó. Se celebraron unos alegres festejos nupciales que duraron treinta días. La pareja vivió feliz y recorrió el planeta volando por los aires. En cuanto al rey, puso gran cuidado en su corona: nunca más volvió a quitársela durante el día y, por las noches, la colocaba en un recipiente cerrado con tres cerrojos.

Bu, el horrible Bu

Cuento italiano

Había una vez una mujer muy pobre que tenía tres hijas pequeñas. Su marido había muerto y ella sola debía ocuparse completamente de las niñas. Cuando se marchaba a trabajar, siempre las advertía:

—¡No abráis a nadie! Bu, el horrible Bu, ronda por aquí y se os llevaría y os comería. Esperad a que cuando yo regrese os cante así:

Hijitas mías, tesoritos míos,

¡abrid a vuestra mamá que tanto os quiere!

¡Y mientras estas palabras no oigáis, el pestillo no descorráis!

Las tres niñas prometían no abrir a nadie y su madre se marchaba tranquila. Un día la mujer caminaba cerca de un arroyo cuando vio una gran abeja ahogándose. Cogió una rama y sacó el insecto del agua. En ese instante, el animalito negro y amarillo le habló con voz humana:

—Te doy las gracias por haberme salvado. ¿Podrías llevarme al jardín? Tengo mi casa en un árbol muerto. Con las alas mojadas no podré llegar sola.

La mujer se extrañó de que una avispa pudiera hablar, pero hizo lo que le pedía. Cuando el insecto estuvo en su gran nido en el árbol muerto, dio emocionado la gracias a la mujer:

—Si un día necesitas mi ayuda, ven a verme y haré todo lo que esté en mi poder.

Preguntándose cómo iba a ayudarla un animalito tan pequeño, la mujer se despidió y se fue a trabajar.

Éste no fue el único acontecimiento del día. Cerca de la casita, apareció un monstruo que se puso a cantar esta canción:

Soy Bu, el horrible Bu,
¡Dejadme entrar, que todo lo voy a agarrar!

Pero las niñas no tuvieron miedo y respondieron:

Somos tres niñitas, ¡¡no somos tres cobardicas!!
Bu, horrible Bu, tú quieres entrar, pero nunca te dejaremos pasar.

Bu sacudió la puerta con todas sus fuerzas pero el pestillo era sólido.

Se fue entonces con las manos vacías. Cuando su madre regresó, las tres niñitas le contaron lo que había sucedido y ella las felicitó por su comportamiento.

Al día siguiente, el monstruo volvió. En esta ocasión, se había puesto una dentadura de hierro.

Soy Bu, el horrible Bu,
¡Con mis dientes de hierro, abro todo cuanto quiero!

Y puso manos a la obra. Royó la puerta, pero era muy sólida. Aunque los dientes de hierro la arañaron, no cedió. Las niñitas, escondidas, cantaban:

Somos tres niñitas, ¡¡no somos tres cobardicas!!
Bu, horrible Bu, tú quieres entrar, pero nunca te dejaremos pasar.

De nuevo partió el monstruo con las manos vacías, no sin antes prometerse a sí mismo que conseguiría entrar en la casa ya fuera va-

liéndose de la fuerza o de las artimañas. Al día siguiente, por tanto, Bu llegó más pronto que de costumbre, vio partir a la madre y la oyó cantar la canción. Esperó unos minutos y se puso a cantar con una voz aflautada detrás de la puerta:

Hijitas mías, mis tesoros, ¡abrid a vuestra mamá que tanto os quiere!

Las niñas se dejaron engañar y abrieron el cerrojo. ¡Qué horror! Detrás de la puerta se encontraba el temido monstruo:

Soy Bu, el horrible Bu. ¡De un bocado, os habré devorado!

Cuando aún no había entrado, las niñas corrieron a la escalera que llevaba al granero. Antes de que el monstruo pudiera reaccionar, ya estaban arriba. Inmediatamente sacaron la escalera para que el horrible Bu no pudiera alcanzarlas. Sin embargo, el monstruo se puso a recorrer la habitación en todos los sentidos y después comenzó a colocar sillas sobre la mesa mientras cantaba:

Soy Bu, el horrible Bu. ¡Dentro de un rato, estaré a vuestro lado!

Entonces llegó la madre de las niñitas, que se pusieron a gritar:

—¡Mamá, mamá!, no entres. ¡Está aquí Bu, el horrible Bu.

La madre dio media vuelta y corrió al árbol muerto.

—¡Pequeña abeja! ¡Ayúdame, por favor! ¡Bu, el horrible Bu, quiere comerse a mis hijas!

La abeja voló en su ayuda acompañada de todas sus amigas. Como si de una nube negra se tratara, llegaron todas a la casa de la mujer con un amenazador zumbido. Entraron en la habitación donde se encontraba Bu haciendo equilibrios sobre la montaña de sillas. Los insectos lo asaltaron y le hundieron sus dardos en la piel. El monstruo no pudo soportar tal dolor. Cayó en el suelo y escapó gimiendo:

Soy Bu, el horrible Bu. ¡Nunca más, aquí me verás!

La madre y las hijas dieron las gracias a las avispas por su ayuda y, desde entonces, ya no tuvieron miedo de que volviera el monstruo.

De todos modos, las demás mamás continúan diciendo a sus hijos:

«No abráis a nadie. Anda rondando por aquí Bu, el horrible Bu.»

La Bruja y el cocodrilo

Cuento tunecino

Érase una vez dos hermanos, Ahmed y Alí. Ahmed era el primogénito y a él le correspondía heredar toda la fortuna de su padre, un rico mercader.

—Repartiré contigo todo lo que nuestro padre me deje por herencia —había prometido a su hermano pequeño Alí.

Pero Alí no era honesto de corazón. Quería la fortuna para él solo, así que reflexionó durante días y noches enteros para averiguar cómo hacerse con ella. Un día, el padre llamó a sus hijos y les dijo:

—Escuchadme bien, hijos míos. No aprenderéis lo que es la vida si os quedáis en casa, debéis viajar por el mundo vendiendo especias y perfumes. A vuestro regreso, comprobaré cómo os habéis desenvuelto.

Los hermanos estuvieron de acuerdo. Cargaron los camellos con la mercancía, se aprovisionaron de agua y de alimentos y emprendieron el camino. Al anochecer, se detuvieron para levantar sus tiendas. Comieron, charlaron y decidieron después irse a dormir. Ahmed pronto durmió el sueño de los justos. Alí, sin embargo, se quedó despierto. Sin que nadie lo viera, hizo un agujerito en la alforja de su hermano y le

cogió los dátiles para añadirlos a los suyos. Cuando se despertó al amanecer, Ahmed tenía hambre y sed, pero, ¿qué había sucedido durante la noche? ¡Todas sus provisiones habían desaparecido!

—¡Hermano mío! ¡Creo que los malos espíritus me han arrebatado esta noche todas mis provisiones!

—Es posible. Por suerte, a mí no me han robando y te abasteceré de todo lo que necesites. Pero tendrás que darme tu mercancía a cambio.

Ahmed pensó que él habría compartido los alimentos y el agua sin pedir nada a cambio, pero como Alí se mantenía en sus trece, entregó parte de sus perfumes y especias a cambio de frutos secos y agua. El camino fue largo y Ahmed tuvo que dar, poco a poco, toda su mercancía. Al final, sólo le quedaba el camello.

—¡Lo compraré! —propuso Alí a su hermano.

Después, cuando cayó la noche y Ahmed estaba dormido, Alí le robó todo el dinero que llevaba en el cinto.

—¡Oh, los bandidos: me han robado todo lo que tenía! —se lamentó Ahmed al despertarse.

—Es muy posible —admitió Alí—. Ahora no te queda nada más. Pero no temas, me ocuparé de ti cuando regresemos. Lo único que te pido es que me des tu ropa como compensación.

A Ahmed no le gustó en absoluto esta propuesta, pero ¿qué podía hacer? Dio a su hermano un hermoso traje y lo siguió vestido de harapos. Acto seguido, Alí vendió en el mercado las especias y la ropa de su hermano y obtuvo beneficio de ello. Después volvió a casa, orgulloso de sí mismo, sobre su camello. Detrás de él se arrastraba Ahmed cubierto de jirones y con los pies ensangrentados.

«Cuando nuestro padre vea lo mal que se ha desenvuelto mi hermano, me dejará a mí su fortuna», pensó Alí.

El padre escuchó a su hijo contar el modo en que habían negociado y frunció el ceño.

—Había puesto esperanzas en ti pero me has decepcionado —dijo a Ahmed—. Tal vez la mala suerte te haya golpeado injustamente. Sigues siendo mi hijo primogénito y el heredero de mi fortuna, aunque no esté satisfecho de ti.

Alí, muy desencantado, contuvo su cólera. «Sólo me queda una solución —pensó—. Tengo que matar a mi hermano y así la fortuna será mía.» El hermano malo reflexionó durante largo tiempo y, un día, se acostó en la cama y dijo.

—¡Padre mío!, ¡hermano mío! ¡Acercaos a despediros de mí antes de que me muera!

—¿No hay ningún remedio que pueda curarte? —le preguntó el mercader.

—¡Ah! Si Ahmed pudiera traerme agua de la orilla del banco de arena, enseguida me pondría mejor.

Sin dudarlo ni un segundo, Ahmed partió a la orilla del banco de arena. Allí el agua era pura y buena, pero la gente no iba a buscarla pues era el lugar donde se instalaba un cocodrilo gigante devorador de hombres. En el momento en que Ahmed se inclinó sobre la superficie del agua, una boca inmensa y voraz se abrió justo delante de él. El joven no movió ni una pestaña.

—¿Por qué no huyes? —preguntó el cocodrilo—. Han venido decenas de personas por aquí y todas han intentado escapar, pero yo las he atrapado a todas. ¿Acaso no me tienes miedo?

El joven se inclinó delante del animal gigante y dijo:

—¡Ah, maestro! ¡Oh, Gran Cocodrilo! Claro que tengo miedo, pero es por mi hermano. Si no permites que coja un poco de agua del río, morirá.

—Las palabras de Ahmed complacieron al cocodrilo, que le permitió recoger un poco de su agua. Alí se disgustó al ver llegar a su hermano. Bebió agua y simuló sentirse aliviado. Unos días más tarde se lamentó de nuevo:

—¡Oh! Pronto moriré, venid a despediros de mí.

—¿Acaso tu enfermedad es incurable?

—No, pero sería necesario que mi hermano me trajera los frutos de tres cedros que están vigilados por una anciana.

Ahmed partió sin la menor demora. Una vez que llegó a los tres cedros, se puso a recoger las piñas. De repente apareció una mujer de edad avanzada ante sus ojos. Su cuerpo estaba hecho de barro y ceniza y, en lugar de ojos, tenía piedrecitas. Ahmed se inclinó ante ella:

—Yo te saludo, ¡oh Gran Madre!

—¿Por qué no huyes? —preguntó la mujer—. Todos los que han

venido se han escapado y siempre los he atrapado. Y tú, ¿te quedas parado?, ¿no tienes miedo?

—Sí, Gran Madre, pero temo por mi hermano. Si no me dejas coger unos frutos de cedro para él, morirá.

Las palabras de Ahmed complacieron a la bruja, que le dio un puñado de piñas.

Alí se enojó al ver regresar a su hermano. Se comió los frutos y dejó la cama diciendo que se sentía mucho mejor. Ahmed se alegró de haber vuelto a salvar a su hermano de una muerte certera. Ni se le pasaba por la cabeza que Alí estuviera preparando su final. En efecto, Alí hizo beber a su hermano una infusión de plantas medicinales para provocar el sueño. Después, con su daga bien afilada, se acercó a su cama. Pero en cuanto blandió el arma, dos huéspedes inesperados surgieron a su lado: un cocodrilo a su derecha y una bruja a su izquierda.

—¡Vida al justo; muerte al infame! —gritó la bruja.

—¡Para mí el cuerpo; para ti el corazón! —añadió el cocodrilo.

Por la mañana, al despertar, Ahmed buscó en vano a su hermano. Había desaparecido sin dejar huella. Sin embargo, sobre la arena y delante de la casa, apareció esta frase escrita: «Recibió castigo el que quiso arrebatar vida y fortuna a su hermano.»

El príncipe malo

Leyenda

Érase una vez un príncipe malo y presuntuoso que sólo pensaba en conquistar todos los países del mundo y en sembrar el terror con su nombre. Arremetía con fuego y espada; sus soldados pisaban el trigo de los campos, incendiaban las casas de los campesinos, las llamas rojas lamían las hojas de los árboles cuyos frutos colgaban cociéndose en las ramas, ennegrecidos por el fuego. Muchas madres pobres se escondían con sus hijos, a los que todavía amamantaban con su pecho, detrás de los muros humeantes; pero los soldados las buscaban y, si las encontraban, no respetaban la vida humana: los espíritus del mal no podían hacer más daño. El príncipe encontraba que eso era lo necesario para asentar su autoridad: a cada día que pasaba crecía su poder, su nombre era temido en todo el mundo y el éxito lo acompañaba en todo lo que hacía.

De las ciudades conquistadas tomaba el oro e inmensos tesoros y en la ciudad imperial se amontonaba una riqueza tal que no tenía parangón. El príncipe mandó construir castillos magníficos, iglesias, pórticos, y todos cuantos veían estas obras espléndidas exclamaban: «¡Qué gran príncipe!» Nadie pensaba en la miseria que había provocado en los demás países, nadie escuchaba los suspiros y lamentaciones que salían de las ciudades incendiadas.

Un día, el príncipe contempló su oro, sus magníficos monumentos y pensó, como la muchedumbre:

—¡Qué gran príncipe soy! ¡Pero todavía quiero más! ¡Quiero mucho más! ¡Ningún poder debe igualarse al mío, y todavía menos superarlo!

Declaró la guerra a todos sus vecinos y a todos los venció. Encadenaba a su carruaje con cadenas de oro a los reyes vencidos, cuando recorría las calles; y cuando estaba a la mesa, los obligaba a quedarse en el suelo, a sus pies y a los pies de los cortesanos, y recoger los trocitos de pan que les tiraban.

El príncipe orgulloso hizo erigir su estatua en las plazas y en los

castillos reales, quería incluso que la levantaran en las iglesias y delante del altar.

—Príncipe, eres grande —respondieron los sacerdotes—, pero Dios es más grande todavía. No osamos satisfacer tus deseos.

—Perfecto —respondió el príncipe malo—, ¡también superaré a Dios!

Presuntuoso y loco como era, mandó construir una extraña barquilla con la que podía circular por los aires. Era tornasolada como la cola de un pavo real y parecía estar compuesta por una multitud de ojos, pero cada ojo era un cañón de fusil. El príncipe se instalaba en medio de la nave y le bastaba con pulsar una pluma para disparar mil balas y que los fusiles se recargaran acto seguido. Ante la barquilla se uncieron cien vigorosas águilas. Después el príncipe emprendió vuelo hacia el sol. La tierra estaba abajo del todo: al principio parecía, con sus montañas y bosques, un simple campo labrado en el que la verdura se muestra bajo los terrones de herbaje volcados; después semejó a un gran mapa; y, muy pronto, la niebla y las nubes la ocultaron. Las águilas fueron ascendiendo hacia lo alto. Fue entonces cuando Dios envió a

uno solo de sus incontables ángeles. El príncipe malo lanzó

mil balas, pero éstas cayeron como granizo de las

alas brillantes del ángel. Una única gota de sangre

se derramó de un ala y cayó sobre la barquilla donde

estaba el príncipe. Se estableció

sólidamente allí, como

un peso de mil quintales de

plomo, y arrastró la nave

hacia la tierra.

Las potentes alas de las
águilas se quebraron,
el viento sopló sobre
la cabeza del príncipe
y las nubes de alrede-
dor adoptaron una for-
ma muy amenazadora,
como de cangrejos rojos
y alargados que extendían
hacia él sus enormes pinzas.
Parecían montañas rocosas
hundiéndose y dragones es-
cupiendo llamas. Ya casi muerto, el príncipe yacía sobre su nave,
que acabó colgando de las ramas de
los árboles del bosque.

—¡Quiero vencer a Dios! —gritaba—.
¡Lo he jurado y se hará mi voluntad!

El príncipe malo

Durante siete años mandó construir extrañas naves para circular por los aires e hizo forjar relámpagos del más duro acero, pues quería derribar la fortaleza del cielo. En todos sus reinos formó extensos ejércitos que cubrían leguas y leguas cuando formaban en apretadas filas. Éstos ocuparon las naves y el rey mismo se acercó a la suya. Dios envió entonces una nube de mosquitos, tan sólo una pequeña nube, que se puso a zumbar alrededor del rey y le picó en el rostro y las manos. Furioso, el monarca sacó su espada, pero sólo lograba blandirla en el aire sin alcanzar a los mosquitos. Ordenó entonces que le trajeran una preciosa alfombra y que lo cubrieran con ella para que ningún mosquito le clavara su dardo.

Sus órdenes fueron cumplidas, pero un solo y

pequeño mosquito se colocó en la cara interior de la alfombra, se introdujo en la oreja del rey y le picó. La picadura escocía como el fuego, el veneno le subió hasta el cerebro, el príncipe se desembarazó violentamente de la alfombra, se arrancó la ropa y se puso a bailar desnudo delante de todos sus soldados, que empezaron a reírse del príncipe loco que quería derrotar a Dios y que era vencido por un solo mosquito.

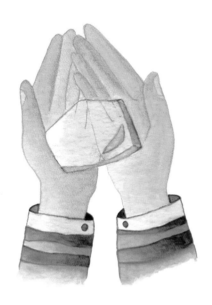

El trozo de vidrio encantado

Cuento tradicional

P uedo contar una historia?

Érase una vez un niño. Y había una vez un mago. Ambos se conocieron en la heladería. El mago quería comprar un helado. Naturalmente, podría haberlo conseguido mediante la magia, pero en esa ocasión deseaba un auténtico helado sin encantar por una corona. Pero justo ese día el mago no tenía dinero. Además no podía obtener una moneda con su magia, pues había un policía a su lado y ya le había enseñado buenos modales. Aunque la boca se le hizo agua,

quiso proseguir su camino. En ese momento, el niño del que he hablado antes, dijo al vendedor:

—Dos helados de frambuesa, de una corona —y le dio uno de los cucuruchos al mago.

El mago se quedó muy sorprendido y sacó de su bolsillo un trozo de vidrio que regaló al niño. Acto seguido, desapareció.

Cualquier niño que tenga un trozo de vidrio se pone a mirarlo. Y esto es lo que hizo el niño del que hablamos, al tiempo que pensaba: ¿por dónde se habrá largado ese barbudo asqueroso? Y lo vio. El mago estaba sentado en un asiento, detrás de siete montañas y nueve valles, y comía su helado. El niño vio también que encima del mago había colgado un letrero que decía: «no se dice asqueroso y largado, sino anciano y marchado.»

Nuestro niño no era tonto. Se quedó un momento indeciso, con el trozo de vidrio en la mano y pensó: «siete más ocho hacen casi dieciséis». Después miró el trozo de vidrio: y vio una pizarra donde estaba escrito con tiza: «siete más ocho no suman casi dieciséis, sino exactamente quince». El niño miró entonces el trozo de hierro como un objeto mágico. Pensó: «Trufknarf es una ciudad de

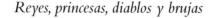

África». Después miró el trozo de vidrio. Vio un cuaderno donde se encontraba escrito: «Trufknarf es la ciudad de Frankfurt, y nada más».

A partir de ese día el niño sólo obtuvo triunfos. Cuando el profesor le preguntaba una pregunta, pensaba en cualquier absurdo y miraba el trozo de vidrio para decir después lo que veía. Pero como estaba orgulloso de su vidrio mágico se puso a divulgar a los cuatro vientos el secreto. Incluso podía ayudar a sus hermanos, que iban a una gran escuela y estudiaban cómo construir puentes y cómo resolver problemas difíciles. De ahí en adelante, sus hermanos mayores le llevaron a otros estudiantes y, muy pronto, en todas las escuelas, los alumnos sólo obtuvieron buenas notas.

Mientras, el mago ya había terminado su helado y quiso hojear un poco un libro que predecía el futuro. Leyó: «el niño que posee el trozo de vidrio mágico se convertirá en una persona tan orgullosa que ya no querrá ayudar a nadie. Nadie en el mundo volverá a ser instruido, pues ya nadie estudiará más».

El mago tiró el cucurucho vacío, diciendo: «Dioses, ¡pues sí que va a costarle caro al mundo mi helado!» Se mesó la barba pensando en lo que podría hacer. El trozo de vidrio estaba tan encantado que no sabía cómo actuar. Durante varios meses estuvo muy ocupado preparando un truco mágico.

Durante este tiempo, nuestro niño se había convertido, en efecto, en un orgulloso y ya no ayudaba a nadie.

Un día se dijo: voy a buscar el nombre de la persona más inteligente del mundo. Y consultó el trozo de vidrio esperando ver escrito en una placa de mármol con letras de oro: «eres tú». Es cierto que vio una placa de mármol y letras de oro grabadas en ella, pero debajo de esta inscripción se veía un enorme asno dorado.

Orgulloso como era, el niño tiró el trozo de vidrio y lo rompió en mil pedazos. Las aguas volvieron a su cauce. El niño, sin embargo, tuvo que esforzarse mucho para aprender a leer, escribir y sumar.

En cuanto al mago, se preocupó de llevar siempre una corona en el bolsillo por si le apetecía un helado.

Historias favoritas

Barbazul

Basado en un cuento de Charles Perrault

Érase una vez un hombre muy rico. Para su desgracia, sin embargo, tenía la barba azul y esto le daba un aspecto tan terrible que todas las mujeres huían al verlo.

Una de sus vecinas tenía dos hijas. Pidió una en matrimonio, pero ninguna de ellas quiso aceptarlo, pues ya se había casado con varias mujeres que nunca nadie había vuelto a ver.

Barbazul, para conocer mejor a sus jóvenes vecinas, las invitó a ellas, a su madre y algunas amigas a una de sus casas de campo, donde pasaron ocho días. Sus actividades se limitaban a los paseos, partidas de caza y pesca, danzas y festejos, etc. En fin, todo iba tan bien, que la más joven

pensó que el dueño del lugar ya no tenía la barba tan azul y que era un hombre encantador. Así que aceptó su propuesta de matrimonio.

Un mes después, Barbazul dijo a su esposa que tenía que salir de viaje por motivos de trabajo y que le rogaba que se divirtiera durante su ausencia.

—He aquí —dijo— las llaves de todos los muebles y habitaciones de la casa. Esta llavecita es la del gabinete que está al final de la galería grande: abridlo todo, id por donde queráis; pero os prohíbo que entréis en esa pequeña habitación o montaré en cólera.

Ella prometió cumplir exactamente todo lo que acababa de ordenarle y él, tras darle un beso, emprendió el viaje.

Las vecinas y amigas no esperaron a ser llamadas para acudir a la casa de la recién casada, pues estaban impacientes por contemplar todas las riquezas de su nuevo hogar. Enseguida se pusieron a recorrer todas las habitaciones, gabinetes, guardarropas, a cual más bonito y espléndido. No dejaron de halagar y envidiar la felicidad de su amiga, quien, sin embargo, no se alegraba de ver todas esas riquezas, pues estaba impaciente por abrir el gabinete prohibido.

Estaba tan impaciente que dejó a sus amigas y bajó por una pequeña escalera escondida con tanta precipitación que estuvo a punto de desnucarse en dos o tres ocasiones. Delante de la puerta del gabinete, la tentación era tan fuerte que no pudo librarse de ella: tomó la llavecita y, temblando, abrió la puerta.

Primero no vio nada, pues las ventanas estaban cerradas. Después, comenzó a ver que el suelo estaba cubierto de sangre cuajada y que en la sangre se reflejaban los cuerpos de muchas mujeres muertas atadas a lo largo de las paredes: eran todas las esposas de Barbazul, a las que había degollado. Casi muerta de miedo, la llave le cayó de las manos.

Cuando se serenó un poco, recogió la llave, volvió a cerrar la puerta y subió a su habitación para recuperarse un poco.

Como la llave se había manchado de sangre, la secó dos o tres veces, pero la mancha no desaparecía: intentó lavarla y frotarla con arena, pero la sangre permanecía, pues la llave estaba encantada y no había manera de limpiarla del todo.

Barbazul regresó del viaje esa misma noche y su esposa hizo todo lo posible para demostrarle que estaba encantada con su pronto regreso.

Por la mañana, él le pidió que le devolviera las llaves y ella lo hizo con las manos tan temblorosas que el marido enseguida se dio cuenta de lo que había sucedido.

—¿Por qué —preguntó Barbazul—, no está la llave del gabinete con las otras?

Entonces no tuvo más remedio que dársela. Al mirarla, Barbazul preguntó de nuevo:

—¿Por qué está manchada de sangre?

—No lo sé —respondió la pobre mujer, más pálida que un muerto.

—¡Yo sí que lo sé! —replicó Barbazul—. ¡Habéis entrado en el gabinete! Pues bien, entraréis de nuevo y ocuparéis vuestro lugar junto a las damas que habéis visto allí.

Ella se arrojó a los pies de su marido llorando y le pidió perdón por no haberle obedecido. Habría ablandado hasta una roca, pero Barbazul tenía el corazón más duro que una piedra.

—Tendrás que morir —dijo.

—Puesto que tengo que morir —contestó ella, mirándolo con los ojos inundados de lágrimas—, dadme un poco de tiempo para rezar a Dios.

—Os concedo un cuarto de hora —respondió Barbazul—; pero ni un segundo más.

Cuando estuvo sola, llamó a su hermana y le dijo:

—Ana, hermana mía, te ruego que subas a lo alto de la torre para ver si ya llegan mis hermanos: me han prometido que vendrían a visitarme.

Ana subió a lo alto de la torre y la pobre esposa, entristecida, le gritaba de vez en cuando.

—Ana, hermana mía, ¿ves venir a alguien?

—Sólo veo al sol brillar y la hierba crecer —respondía la hermana.

—¡O bajas ya —gritaba Barbazul— o subo yo a buscarte!

—¡Voy! —respondía la mujer, y luego preguntaba—: Ana, hermana mía, ¿ves venir a alguien?

—Veo —respondió la hermana—, a dos caballeros que se acercan, pero todavía están muy lejos.

—¡Alabado sea Dios! —exclamó la esposa—. Hazles señas para que se den prisa.

Barbazul se puso a gritar tan fuerte que toda la casa tembló. La pobre esposa bajó y se arrojó a los pies del hombre desconsolada.

Pero Barbazul, le agarró por el pelo con una mano y con la otra blandió un cuchillo en el aire, listo para cortarle la cabeza.

En ese instante llamaron tan fuerte a la puerta que Barbazul se detuvo de golpe. Abrieron la puerta e inmediatamente entraron dos caballeros que, espada en mano, se precipitaron hacia Barbazul.

Éste reconoció a los hermanos de su esposa e intentó escapar, pero

los dos caballeros lo persiguieron y la atraparon antes de que llegara a la escalinata. Lo atravesaron con la espada y lo mataron.

Sucedió entonces que, como Barbazul no tenía herederos, su esposa se quedó con todos sus bienes. Una parte la empleó en casar a su hermana Ana con un joven gentil que ella amaba desde hacía tiempo; otra parte para comprar los puestos de capitanes a los dos hermanos; y el resto para casarse ella misma con un hombre encantador que le hizo olvidar la horrible experiencia con Barbazul.

Dédalo e Ícaro

Mito griego

Hace mucho, mucho tiempo había un artesano llamado Dédalo que era el más famoso de Grecia. Era también escultor y arquitecto, y trabajaba tanto la madera como el metal.

Ante sus edificios, la gente se preguntaba si eran obra divina o construcción humana. Respecto a sus estatuas, la leyenda cuenta que parecían vivas.

Un día, Dédalo partió con su hijo Ícaro hacia la isla de Creta. El rey Minos estaba muy contento de acoger al famoso artesano: precisamente buscaba a un arquitecto capaz de construir la prisión perfecta para el Minotauro, un monstruo con la cabeza de toro y el cuerpo de gigante, al que el cruel monarca alimentaba con víctimas humanas.

Dédalo inventó para este ser un laberinto en el que los senderos se entrecruzaban, bordeaban las esquinas, se enroscaban y desenroscaban

como un nudo de víboras. Una vez concluido el sinuoso laberinto, encerraron allí al monstruo, y Dédalo salió el último para borrar cualquier huella que indicara el camino que debía seguirse para escapar.

Minos organizó entonces una gran fiesta en honor del ingenioso inventor. Ni la gloria ni los regalos, sin embargo, consiguieron que el artesano deseara quedarse en Creta, pues añoraba su patria. Cada noche iba con su hijo Ícaro a la playa y contemplaba el horizonte.

El desafortunado siempre veía el mismo paisaje: un mar desierto, las rocas y las bandadas de pájaros revoloteando sobre el agua.

Empezó así a envidiar la libertad de las aves. La idea lo obsesionaba día y noche, y no podía conciliar el sueño.

Estudió la forma de sus alas, siguió atentamente con la mirada su vuelo y elaboró un plan secreto para huir. Después de haber reunido plumas de distintas longitudes, se puso a trabajar a escondidas cosiéndolas con hilos de lino. Fijó el conjunto con cera y lo curvó delicadamente para imitar la forma de las alas.

Construyó dos grandes para él y dos pequeñas para su hijo. Una vez concluida su tarea, observó su obra con satisfacción.

«No cabe duda de que Creta pertenece al rey —pensó—, pero el cielo me pertenece a mí.»

Por la mañana, Dédalo despertó a Ícaro temprano. Se ató el primero las alas, las agitó y se elevó por los cielos. Después mostró a su hijo cómo valerse de las suyas igual que un pájaro enseña a volar a sus crías. Ícaro se elevó, como su padre, y se echó a reír dando vueltas por encima de los árboles y los acantilados.

—Ten mucho cuidado —le aconsejó el artesano—, no vueles demasiado alto, pues el sol fundiría la cera y prendería fuego a las alas. Tampoco vueles demasiado bajo, pues las olas te mojarían, aumentarían el peso de las alas y éste te arrastraría al fondo del mar.

Dédalo abrazó a su hijo y los dos emprendieron el vuelo. El padre iba delante y no dejaba de darse la vuelta para vigilar a su alumno,

que seguía escrupulosamente sus instrucciones. Pronto sobre-volaron el mar.

Creta ya quedaba lejos de ellos y Dédalo, satisfecho del éxito de su empresa, se abandonaba a alegres pensamientos sobre su patria, que por fin iba a recuperar.

En cuanto a Ícaro, batía en el aire sus ligeras alas con placer. Le habría gustado elevarse un poco más, pero mientras su padre siguiera dándose la vuelta, no se atrevía a desobedecerlo. En el momento en que éste, soñador, olvidó vigilarlo, el joven aprovechó para desobedecer sus órdenes.

Voló más alto, más alto y, embriagado por la altura, se puso a cantar.

Sin embargo, durante ese tiempo, el calor del sol iba haciendo su efecto y la cera de las alas se fundía. Dos grandes gotas amarillas cayeron en el mar. Los hilos y las plumas se despegaron y dejaron pasar el aire.

Ícaro, batió una última vez sus brazos desnudos en el aire y cayó lanzando un grito.

Murió ahogado mientras las crestas brillantes de las olas arrastraban un puñado de plumón blanco.

Al escuchar la voz de su hijo, Dédalo se giró y lo llamó. Nadie le respondió. Dédalo se acercó al agua y la examinó con atención. Sólo distinguió unas cuantas plumas mojadas. Con el corazón roto, se posó en una isla cercana y se quitó las alas. Por la noche, el mar le llevó el cuerpo de su hijo y lo colocó en la playa. El artesano cavó una tumba bajo el cielo estrellado.

Después, se volvió a poner las alas y abandonó la isla, dando la espalda a su patria. Se posó en Sicilia, donde construyó los edificios más hermosos de su vida. Sin embargo, nunca recuperó la paz ni la alegría. La isla donde enterró a su hijo se llama Icaria en recuerdo de su trágico destino.

La luna que estaba triste

Cuento checo

Las estrellas son infinitas, pero lunas, sólo hay una: ¡qué injusticia! ¿De quién podría ser amiga la luna? Las estrellas prefieren jugar entre ellas, como los perros, las ranas, los niños y las hojas de los árboles.

«Si pudiera encontrar en el mundo a un ser como yo, igual de triste y solo…», pensó la luna, e inició sus pesquisas. Examinó todas las chimeneas iluminándolas con sus rayos, exploró el musgo en los bosques, revolvió los haces de heno, miró en cada rincón de las nubes; pero no encontró nada.

Un día, cuando ya había detenido la búsqueda, pues estaba convencida de no encontrar a nadie como ella ni en el cielo ni en la tierra, distinguió una pelota blanca bien enmarañada, hundida profundamente por debajo del suelo. Esa pelota se le parecía. Yacía en una pequeña balsa, una fuente.

La luna se alegró y extendió sus rayos hasta la fuente. Pero, ¿qué sucedía? La otra le enviaba sus rayos hasta la superficie del agua. A partir de ese día, se encontraban ahí y se alegraban de haberse conocido.

Llegó el invierno. La fuente parecía de cristal. Día tras día, la luna golpeaba el hielo con sus rayos y esperaba impacientemente la primavera. Al principio de esta estación, hubo muy poca agua. Los manantiales se secaron y la fuente desapareció. Cuando la luna acudió a verla por la noche, sólo quedaba un sombrío agujero y barro. ¿Dónde estaba su amiga, la tranquila luna de la fuente?

La luna del cielo ya no quería estar sola, se sentía demasiado triste.

—Qué tonta eres —decían las estrellas riéndose—, ¡encontrarás amigas en todos los estanques y los mares! ¿Y qué decir de las gargantas de los valles?

La luna observó los estanques, las gargantas de los valles y los mares. ¡Cuántas estrellas celestes veía allí! Y también lunas. Pero eran temblorosas, intranquilas y se movían cada vez que saltaba una rana al agua. ¡Y cuántas nubes las aureolaban!

—No es eso lo que busco. La amiga que había encontrado estaba profundamente hundida en la tierra —respondía la luna, y después vagaba por el cielo como una oveja perdida.

«La luna no tiene buen aspecto, ¿qué le pasará?» Se preguntaban los seres humanos, pero ninguno sabía la respuesta. Todos tenían sus propios asuntos y poco tiempo para prestar atención a los demás.

Un día, un hombre agobiado por los problemas se colocó al borde del río y sacudió su sombrero sobre el agua para alejarlos y no volverse loco. Y, por pura casualidad, levantó la mirada al cielo. La luna no se movía. Ni siquiera pensó en hacerle una seña, pues estaba pensativa.

—Pareces muy triste, amiga mía. Vente

conmigo y nos pasearemos por la ciudad para que cambies de humor —dijo el hombre. Y agarró un rayo de la luna, se lo enrolló en el dedo y emprendieron la marcha. Al principio, la luna no quería que la llevaran. ¿Acaso era un perro? Después pensó: «¡Bah, que importa!, ¡total, estoy triste!» Y dejó de dar tirones con su rayo.

Durante ese tiempo, el hombre había estado reflexionando y había descubierto por qué la luna se sentía triste.

«No es bueno estar solo», se dijo. Tiró de la luna por el rayo y la hizo entrar en una habitación por la ventana abierta. Allí había un gran espejo solitario que, a su vez, tampoco tenía amigos. Al entrar en la habitación, la luna resplandeció. Descubrió a otra luna, una luna apacible y feliz: la de la fuente. Todo iría bien de nuevo.

Desde ese día, la luna se desliza todas las noches en la habitación. Ya encuentra el camino sola.

Alí Babá y los cuarenta ladrones

Narración de Las mil y una noches

Érase una vez dos hermanos que vivían en Persia. El primogénito, Kashim, era un hombre duro, aunque la suerte le sonreía, mientras que Alí Babá, el joven, tenía buen corazón y era pobre entre los pobres. Fuera lo que fuese, lo que emprendieran su esposa y él, nunca les salía bien. Sólo le quedaba la casa, el asno y la esclava negra, Maryana. Un día, Alí Babá hizo acopio de valor y fue a pedir a su hermano que le ayudara. Kashim, sin embargo, no se dejó ablandar, y Alí Babá regresó con las manos vacías.

El día siguiente por la mañana, aconsejado por su sirvienta, fue a buscar madera para venderla en el mercado. Trabajó toda la mañana, después se tendió a la sombra de unos matorrales y se durmió. Lo despertó el ruido de los cascos de unos caballos y pronto apareció un grupo de jinetes armados hasta los dientes. Alí Babá no tardó en darse cuenta de que se encontraba en presencia de unos ladrones. Descabalgaron, su jefe se acercó a una roca y gritó:

—¡Ábrete, sésamo!

Y para sorpresa de Alí Babá, la pared de piedra giró chirriante y los ladrones desaparecieron por la tenebrosa abertura con su botín. Eran cuarenta y, en cuanto el último hubo pasado, la gruta se cerró. Alí Babá permaneció en su escondite para observar los acontecimientos posteriores. No hubo de esperar largo tiempo: la roca se abrió gruñendo y los ladrones partieron a todo galope. Entonces, Alí Babá se aproximó prudentemente a la pared y dijo en voz baja:

—¡Ábrete, sésamo!

La piedra se abrió y Alí Babá se deslizó por la rendija. Llegó a una gruta llena de monedas de oro y piedras preciosas, telas de gran valor y vajillas de oro y plata que cegaban con su resplandor. El pobre hombre tomó un saco repleto de monedas de oro y se dirigió a la puerta, que había vuelto a cerrarse. Recordó la fórmula misteriosa y gritó:

—¡Ábrete, sésamo!

Y la pared de piedra giró con su rugido habitual dejando paso libre a Alí Babá.

Su esposa no podía creer lo que veían sus ojos. Alí Babá tenía tanto oro que ella no conseguía contarlo, así que partió a casa de su cuñada, la esposa de Kashim, para pedirle una medida de trigo. La cuñada, intrigada, puso a escondidas cera fresca en el fondo de la medida.

Alí Babá y su esposa pasaron toda la noche midiendo su tesoro. Por la mañana, cuando devolvieron la medida a la cuñada, ésta encontró monedas de oro en el fondo, pegadas a la cera. Su codicioso marido se precipitó a casa de Alí Babá y le obligó a confesarle de dónde procedía todo ese oro. Después, con todos sus asnos, se marchó hacia la gruta del tesoro.

—¡Ábrete, sésamo! —gritó, y la roca se abrió.

Se deslizó en la gruta y, temblando de codicia, empezó a llenar un saco tras otro de oro y diamantes. Pero, cuando quiso regresar, no se acordaba de la fórmula mágica. Gritaba: «¡Ábrete, cebada! ¡Ábrete, trigo!» ¡Nada que hacer!

El infeliz pasó revista a todos los granos y cereales que conocía, pero sólo uno no acudió a su mente: el sésamo. De repente, la pared de piedra se abrió y los ladrones irrumpieron en la gruta. No tardaron en descrubrir a Kashim y lo que estaba haciendo. Así que el jefe sacó su puñal y se lo hundió en el corazón, tras lo cual ordenó a su banda que dejaran el cadáver expuesto en la entrada de la gruta.

La esposa de Kashim esperó largo tiempo el regreso de su marido,

después, llena de inquietud, corrió llorando a casa de Alí Babá. Éste se dirigió a toda prisa hacia la gruta secreta. Apenas se abrió la roca, retrocedió horrorizado: el cuerpo ensangrentado de su hermano yacía ante sus ojos. Alí Babá cargó el cadáver de su hermano mayor y lo llevó a su casa.

Lo enterró y, una vez hecho esto, partió con su esposa y toda la familia a instalarse en la casa de Kashim para ocuparse de su comercio, tal como se lo había pedido su cuñada.

Cuando los ladrones se percataron de que había entrado otra persona en su escondite, indagaron por toda la zona para descubrir al peligroso intruso. Pero fue en vano. Así que, el más astuto de ellos se disfrazó y fue a pasear por la ciudad, donde se enteró de la reciente muerte de Kashim y del sorprendente enriquecimiento de su hermano. Se dio cuenta enseguida de que había encontrado al hombre que buscaba. Marcó con una cruz blanca la casa de Alí Babá para que, por la noche, la reconocieran sus compañeros. Maryana, no obstante, se percató de ese extraño signo. Aunque no comprendió el significado, copió la misma cruz en todas las casas de la calle. Al caer la noche, los ladrones buscaron la casa de Alí Babá pero no dieron con ella. El jefe, loco de rabia, condenó a muerte al desafortunado que había puesto la marca y decidió ocuparse él mismo del asunto... Cargó en las mulas cuarenta odres, en ellas escondió a treinta y ocho hombres y llenó de aceite las dos odres restantes. Acto seguido, se vistió de rico mercader, y se fue a la ciudad. Ya había anochecido cuando los vecinos le condujeron a casa de Alí Babá. Tras susurrar a los ladrones escondidos que esperaran su señal, el jefe golpeó la puerta:

—¡Honorable Alí Babá! Soy mercader de una comarca lejana y traigo un cargamento de aceite de oliva que me gustaría venderte. Si me ofreces albergue esta noche, mañana hablaremos de este asunto.

Alí Babá dio una cordial acogida a tan noble huésped. Ordenó a sus servidores que depositaran las odres en el patio e invitó al mercader a cenar. Durante la noche, la esclava Maryana se percató de que no había más aceite en la lámpara; buscó por la casa, pero no quedaba ni una gota. Entonces recordó que el mercader tenía en las odres. Salió al patio y se acercó al primer odre, de donde se escapó una voz que preguntó:

—Jefe, ¿es la señal?

La audaz muchacha enseguida comprendió lo que sucedía y contestó con voz ronca:

—¡Todavía no!

Repitió el mismo proceder junto a las demás odres para saber cuántos ladrones había escondidos y se quedó aterrorizada por lo numerosos que eran. Sin embargo, hizo acopio de valor y, al ver que dos odres contenían realmente aceite, se le ocurrió una idea. Encendió una gran hoguera en el patio, puso el aceite a hervir y lo arrojó en cada una de las odres que contenía un ladrón. Así fueron muriendo uno tras otro.

A continuación, Maryana entró en la sala del banquete y dijo que iba a bailar para deleite de tan digno huésped. La joven había oído decir que el jefe de los ladrones poseía un puñal mágico que nunca fallaba su objetivo. Se puso a bailar y, mientras bailaba, se acercó al jefe. De repente, sin aviso previo, agarró el puñal del hombre y se lo clavó directo en el corazón.

Cuando Alí Babá se dio cuenta del peligro espantoso de que había escapado gracias a la inteligencia y valor de Maryana, le devolvió la libertad como recompensa. Poco tiempo después, la casó con su propio hijo. En adelante todos vivieron una vida feliz y sin contratiempos.

Ni siquiera se preocuparon de ir a buscar los fabulosos tesoros en la gruta de los ladrones.

¿Estarán todavía allí?

El arca de Noé

Leyenda bíblica

Noé era un hombre justo y honesto que vivía en la fe de Dios. Los hombres, sin embargo, eran crueles, egoístas y codiciosos, y Dios llegó a lamentar haberlos creado. Así que advirtió a Noé que caería un diluvio que destruiría toda la tierra, salvo a él y a su familia.

Dios pidió a Noé que construyera una gran arca de madera con las dimensiones y la forma que le indicaría.

Noé y sus hijos obedecieron las órdenes divinas, aunque la gente se burlaba de ellos diciendo:

—¡Qué locura construir un barco en el desierto!

Cuando todo estuvo listo, Dios dijo a Noé y su familia que embarcaran con una pareja de cada especie animal. Una vez que todos estuvieron dentro, Dios ordenó que empezara a diluviar.

Cayó la lluvia durante cuarenta días y cuarenta noches. Las aguas del diluvio inundaron poco a poco toda la superficie de la tierra y

cubrieron las más altas
montañas.

Noé esperó pacientemente.
Después soltó una paloma que
regresó con una rama de olivo en
el pico. El hombre comprendió
que las aguas se habían retirado y
que la tierra empezaba a secarse.

Finalmente, Dios indicó a Noé

que podía atracar. Seres humanos y animales salieron del arca. Como recordatorio de lo que Dios había hecho por ellos, los hombres construyeron un altar en señal de agradecimiento.

Entonces Dios desplegó un arco iris como testimonio de que nunca más enviaría un diluvio a la tierra.

La niña de nieve

Cuento ruso

Un bonito día de invierno, a Piotr se le ocurrió la idea de esculpir un niño de nieve. Lo hizo por amor a su mujer, Anna, pues no tenían niños. Esculpió una niña sonriente con la nariz respingona y hoyitos en las mejillas. Al día siguiente, por la mañana, regresó a ver la muñeca de nieve, pero la niña había desaparecido. Sólo quedaban las huellas de los pasos sobre la nieve. Piotr las siguió hasta el pueblo.

—¡Anna, ven a ver! —exclamó al regresar sin aliento a la casa.

Lo que Anna vio le llenó el corazón de alegría. La niña de nieve se reía jugando con otros niños en plena batalla de bolas de nieve.

—Es una auténtica niña —se sorprendió Anna—. ¡Nuestra hija! ¡Hagamos una gran comida para celebrar su llegada!

—¡Ven al calor del hogar —gritó Anna— y come con nosotros!

La niña de nieve se quedó inmóvil en el umbral de la puerta, mientras dos lagrimones se deslizaban por sus mejillas.

—No puedo comer vuestra comida —dijo la niña—, y si entro, me fundiré.

Piotr le esculpió entonces una silla y una mesa de nieve, después llenó una copa de nieve con frutos de nieve y un vaso de nieve con un helado. Al llegar la noche, la niña de nieve se acostó en su camita de nieve, y Piotr y Anna le desearon las buenas noches.

—¿Me queréis? —preguntó la niña de nieve.

—Más que a nada en el mundo —contestaron Anna y Piotr.

—Entonces, ¡me quedo con vosotros!

Durante todo el invierno, la niña de nieve jugó con los demás niños. La pequeña se deslizaba por las colinas con la ligereza del viento y danzaba sobre el hielo con la agilidad de un copo de nieve.

Cuando jugaba al escondite, nadie la encontraba, pues se confundía con la nieve.

Un día, los demás niños creyeron incluso que se había marchado, dejaron de buscarla y volvieron a sus casas.

La niña de nieve se encontró solita en el bosque. «¿Cómo puedo volver a casa? —pensó—. ¿Por aquí o por allá?»

—¿Sabes cómo volver a casa? —preguntó a un pájaro—. Me he perdido.

—¡Casa! —pio el pájaro. Se alejó volando y la niña lo siguió a las profundidades del bosque. —¡Casa! —repitió el pájaro posándose en una rama alta.

—Es tu casa —se lamentó la niña de nieve—, no la mía.

Entonces vio una liebre que buscaba unas raíces bajo la nieve.

—Liebre, ¡muéstrame el camino a casa!

La liebre sacudió sus largas orejas y se alejó a saltitos seguida de la niña.

—Casa —dijo la liebre metiéndose en un agujero a ras de tierra.

—Es tu casa, liebre. No la mía. ¿Quién podría enseñarme el camino para volver a mi casa?

—Sólo tienes que acompañarme —afirmó el zorro—. Podría llegar a casa de Piotr con los ojos cerrados, basta con seguir el olor de esas buenas y gordas gallinas.

—Entonces, enséñame el camino —le rogó la niña de nieve.

—¿Qué me darás a cambio?

—Piotr y Anna me quieren más que a nada en el mundo. Te darán todo lo que les pidas.

—El invierno es crudo —respondió el zorro—, y tengo hambre. Me contentaría con la más cebada de todas sus gallinas.

Emprendieron el camino a casa. ¡Cuál no fue la alegría de Piotr y Anna cuando vieron llegar a la niña de nieve! Les contó que la había guiado el zorro y que esperaba su justa recompensa: la más regordeta de sus gallinas.

—¡Qué caradura! —exclamó Anna.

—¡Después de todo lo que me he esforzado en protegerlas! —añadió Piotr.

Así que decidieron en secreto meter al perro en una cesta, escondido bajo un trapo. La niña de nieve llevó la cesta al zorro. Ya se le hacía la boca agua mientras se alejaba, cuando el perro le dio un susto tremendo al saltar del cesto, ladrando y, gruñendo, y persiguiéndole hasta la linde del bosque. La niña de nieve se echó a llorar.

—No tengas miedo —la tranquilizó Anna—. El zorro ya se ha marchado.

—Creía que me queríais más que a nada en el mundo —sollozó la niña de nieve—. Sin el zorro me habría perdido en el bosque y vosotros ni siquiera habéis querido darle una gallina para agradecerle que me haya traído con vosotros.

—¡Pero si te queremos!

—¡Menos que a vuestras estúpidas gallinas! —replicó la niña de nieve.

Unas grandes lágrimas corrieron por sus mejillas, dejando dos profundos surcos en su rostro entristecido. La niña de nieve se fundió de lágrimas en la nieve que el viento nocturno empujó con un suspiro hacia las tinieblas del bosque. Desde entonces, cada invierno, Piotr es-

culpe una mesa y una silla de nieve, pero nunca ha vuelto a hacer una

niña de nieve. Sólo hay una única niña de nieve.

Robín de los Bosques

Leyenda inglesa

Cuando el rey Ricardo Corazón de León se marchó de Inglaterra en 1190 para participar en la tercera cruzada a Tierra Santa, su país atravesó por un período terrible. El hermano del rey, el ambicioso príncipe Juan, tomó el poder. Fue cruel y despiadado con todos los que habían permanecido fieles al rey: les arrebató las tierras, quemó sus castillos y los echó de sus casas.

El conde Huntingdon era uno de los hombres más fieles al rey Ricardo. Su hijo, Robert era el mejor arquero de los alrededores y todos alababan su generosidad. Una sombría noche, empero, los hombres del príncipe Juan quemaron el castillo del conde y masacraron a sus habitantes. Sólo Robert consiguió escapar al bosque de Sherwood. Juró entonces servir fielmente al rey y ayudar a los pobres castigando a los opresores. Reunió pues un grupo de jóvenes y se hizo llamar Robín de los Bosques, pues habitaba en una cabaña en el corazón del bosque y vivía de la caza, libre como el aire.

Un día conoció a Juan de Mansfield, un mozo que, tras una buena pelea y bastantes bastonazos, se convirtió en su más fiel compañero con el nombre de Juanito. Un poco más tarde, otro leal compadre se unió al grupo de Robín:

se trataba del hermano Tuck, un monje hábil con la espada, además de un excelente cocinero.

Algún tiempo después, Robín oyó decir que el obispo de Hereford iba a visitar al obispo de Cork y que cruzaría el bosque de Sherwood. Era la ocasión que había soñado para apoderarse de sus riquezas. Robín ordenó al hermano Tuck que matara un corzo y lo cocinara. Después, todos sus compañeros, encantados de gastar una buena broma, se disfrazaron de pastores y se instalaron junto al fuego.

El obispo y su cortejo olieron el aroma del corzo asado y se acercaron al claro del bosque. Los pastores bailaban alrededor de la hoguera y los servidores del obispo se dispersaron por todos lados.

De golpe, uno de los pastores sopló por un cuerno y, al instante, surgieron del bosque cuarenta y cinco vigorosos muchachos. El obispo se asustó y quiso escapar, pero no consiguió subirse al caballo y se quedó en tierra. Robín acudió en su ayuda y le dijo:

—¡Venid a comer con nosotros, señor!

Y lo condujo junto al fuego. El miedo del obispo desapareció ante tal apetitoso plato. Mientras disfrutaba con el festín, Robín hizo una

señal a sus muchachos para que descargaran el caballo del obispo. ¡Cuánta riqueza! Había ahí bandejas de oro, telas preciosas, monedas de oro y monedas de plata. El obispo estaba rabiando, pero no podía hacer nada.

Al observar su rabia, Robín le recordó sus obligaciones hacia los pobres y aceptó, finalmente, dejar que se marchara tras haber ejecutado una danza desenfrenada al son de la flauta.

En su juventud, Robín había amado a la bella Marian, dama de honor de la reina, cuyos ojos negros le habían seducido. A Marian también le gustaba el joven Robín. Pero cuando éste tuvo que huir de la ley, se marchó sin despedirse.

Al saber Marian que Robín estaba vivo y se escondía en el bosque, se disfrazó de caballero y abandonó el castillo de su padre para dirigirse a su encuentro.

Un día, Robín descubrió a un joven armado:

—¡Eh! ¡Caballero blanco! —gritó—. Nadie tiene derecho a entrar en este bosque sin haber sido invitado. ¿Quién eres?

Marian no reconoció a Robín pues vestía de forma diferene. Se asustó y desenvainó la espada. Al ver esto, Robín también sacó su espada y se lanzó al ataque. Si bien el joven era más fuerte y experimentado, Marian esquivaba tan bien los ataques y se defendía con tal habilidad que Robín no pudo evitar admirar al joven caballero. Cuando se percató de que su contrincante estaba al límite de sus fuerzas, Robín le tendió la mano y le dijo:

—¡Bravo, joven caballero! ¡Has demostrado que eres digno de Robín de los Bosques!

—¡Robín, mi bien amado! —exclamó Marian al tiempo que la espada caía de sus manos—. ¡Por fin te he encontrado!

Juntos se encaminaron al campamento de los compañeros de Robín y cada uno de ellos se inclinó ante la bella muchacha y le juró fidelidad. Finalmente, todos se pusieron a saltar y vitorear a Robín y Marian. El hermano Tuck se presentó ante ellos con sus hábitos sacerdotales y una Biblia, y bendijo a la pareja. Robín y Marian se convirtieron en marido y mujer.

Así fue como vivieron en el bosque y continuaron robando a los ricos para dar a los pobres, hasta el día en que el rey Ricardo Corazón de León regresó a Inglaterra para desterrar al príncipe Juan. Más tarde, tras haber oído hablar en muchas ocasiones de Robín, lo buscó durante largo tiempo y por fin lo encontró en el bosque. Le mandó prestar juramento y lo nombró jefe de su guardia personal. Robín de los Bosques recuperó entonces el honor y la gloria.

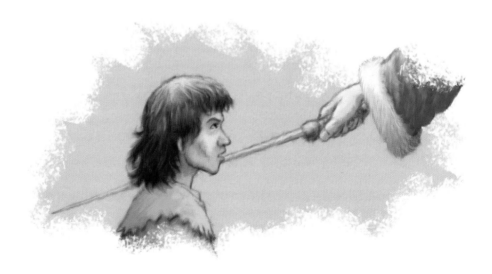

La hucha

Basado en un cuento de Hans Christian Andersen

En el cuarto de los niños había muchos juguetes, pero la hucha se encontraba en lo más alto del armario. Era de arcilla, con forma de cerdo y, naturalmente, tenía una rendija en el lomo que alguien había alargado con ayuda de un cuchillo para que cupieran también las monedas grandes.

De éstas ya habían caído dos, además de muchas otras más pequeñas.

El cerdo estaba tan lleno, tan atiborrado, que las monedas no podían tintinear en su barriga, que es lo máximo que cabe esperar de un cerdito hucha.

Estaba ahí, en lo alto del armario y miraba los juguetes que había abajo, en la habitación: sabía que con lo que tenía en la barriga podría comprarlos todos y esto le enorgullecía un poco.

Los otros también lo sabían, aunque no hablaran de ello. El cajón de la cómoda estaba entreabierto y una muñeca ya vieja y con el cuello reparado miraba hacia fuera.

—Propongo que juguemos a las personas mayores —sugirió—. ¡Será muy divertido!

Entonces se armó un barullo y los cuadros se giraron hacia la pared (sabían que tenían un revés), aunque no lo hicieron para protestar.

En plena noche, los rayos de la luna entraban por la ventana, iluminándolo todo gratis.

El juego iba a comenzar y todos estaban invitados a participar, incluso el cochecito de muñecas, aunque formaba parte de los juguetes clasificados de vulgares.

—Cada uno es útil a su manera —decía—. No todo el mundo puede pertenecer a la nobleza, también tiene que haber quien trabaje.

Sólo el cerdito hucha recibió invitación escrita. Se temía que, al estar tan arriba, no pudiera oír la invitación oral. Él, por su parte, se creyó demasiado importante para dar una respuesta. Si le apeteciera participar, lo haría desde arriba, desde su casa; los otros ya se adaptarían. Es lo que hicieron.

Subieron el teatro de marionetas para que el cerdito hucha pudiera verlo de frente. El programa consistía en una comedia teatral, el té y, a continuación, las conferencias. Sin embargo, se empezó por estas últimas.

El caballo habló de entrenamientos y de pura sangre; el cochecito de muñecas, de ferrocarriles y de tracción de vapor: eran temas de su especialidad. El péndulo habló de política (tic, tac), sabía qué hora había dado, pero las malas lenguas decían que no funcionaba bien.

El bastón se mantenía tieso, orgulloso de su virola de hierro y de su pomo de plata; en el sofá se exponían dos cojines bordados, espléndidos pero estúpidos. La comedia ya podía empezar.

Todos estaban sentados y miraban. Se les rogó que aplaudieran, golpearan o silbaran según estuvieran o no satisfechos. La fusta dijo que no golpearía jamás por los ancianos, sino sólo por los jóvenes que todavía no estuvieran prometidos.

—Yo exploto por todo el mundo —dijo el petardo.

La obra de teatro no valía nada, pero estuvo bien interpretada. Los actores siempre presentaban al público su lado pintado: estaban hechos para ser vistos de frente, no de espaldas. Todos actuaban admirablemente, incluso fuera del teatrillo, pues sus hilos eran demasiado largos, pero ello los hacía todavía mejores actores.

Todo el mundo estaba encantado, así que renunciaron al té y se insistió en las conferencias. Lo llamaban jugar a las personas mayores, y era sin mala intención porque no era más que un juego. Cada uno pensaba sólo en sí mismo y en lo que pensaba el cerdito hucha, y éste iba más lejos que el de los demás, pues pensaba en su testamento y en su entierro.

¡Pataplam! Se cayó del armario. Acabó en el suelo roto en mil trocitos. Las monedas bailan y brincan por la habitación: las más pequeñas zumban, las grandes ruedan, sobre todo la de plata, que tantas ganas tenía de ver mundo. A eso fue, y también fueron a ver el mundo el resto de las monedas. Sólo los restos del cerdito fueron a la basura.

Al día siguiente, sobre el armario había otro cerdito hucha de tierra barnizada. Aún no contenía ninguna moneda y no había nada, pues, que tintineara en su barriga. En esto se parecía a su antecesor. Para él era un comienzo y para este cuento es el final.

Fresas en pleno invierno

Cuento tradicional

Había una vez una anciana que vivía con dos muchachas. María era su hijastra y la anciana la detestaba. Sin embargo, ardía de amor por su verdadera hija, Elena, aunque fuera tan fea y huraña. Su hijastra María, en cambio, era hermosa y amable. Ésta soportaba pacientemente todos los incordios de su madrastra y su hermanastra.

«Los chicos sólo tienen ojos para María —constató un día la anciana con amargura—. Y ni uno solo aceptará casarse con mi pobre Elena.»

A partir de entonces, madre e hija intentaron por todos los medios desembarazarse de la bella y simpática María. No le daban de comer, le pegaban y la fastidiaban sin cesar.

Un frío día de invierno, Elena tuvo de golpe y porrazo ganas de tener violetas.

—Ve a buscarlas al bosque, María —ordenó.

—Pero querida hermana, ¿quién ha visto alguna vez crecer violetas en la nieve? —respondió amablemente la desdichada María.

—¡Cómo te atreves a contradecirme! Haz lo que te digo y no te atrevas a volver sin las violetas, porque… —la amenazó.

La anciana cogió a María por los hombros y la echó de casa. La pobre jovencita lloraba desconsoladamente, sola en el bosque cubierto de nieve. No tardó en perderse y temblando de frío, rogó al cielo para que la ayudara.

De repente distinguió una luz en la lejanía. Subió hasta la cumbre de una montaña muy alta. Allí, alrededor del fuego, doce hombres sentados en unas piedras grandes contemplaban las llamas. Esos doce hombres eran los doce meses del año. Enero, sentado sobre la piedra más alta, con el cabello y la barba blancos temblando al viento, sostenía un cetro en la mano.

María dudó un instante, después hizo acopio de valor y se aproximó al fuego.

—Señores, por favor —preguntó educadamente—, ¿me permiten que me acerque al calor de la hoguera? Me estoy muriendo de frío.

Enero le dio permiso.

—¿Qué has venido a hacer aquí? —preguntó.

Cuando María le explicó la razón de su presencia, Enero se levantó y tendió su cetro al más joven de los meses.

—Hermano Marzo —dijo—, siéntate un instante en mi lugar.

Marzo se sentó en la piedra más alta y pasó el cetro por encima del fuego.

Una llama clara se elevó de inmediato, la nieve se fundió, los árboles echaron brotes y la hierba reverdeció. Era primavera.

En un matorral, María percibió una alfombra de violetas. Recogió un gran cesto, dio las gracias a los doce meses y regresó feliz a su casa.

—¿Dónde has encontrado estas flores? —preguntó Elena sorprendida.

—Crecen a montones en un pequeño claro en lo alto de la montaña.

Elena cogió las violetas sin ni siquiera darle las gracias a María y se hizo una corona que exhalaba un sutil perfume.

A la mañana siguiente, mientras Elena descansaba a un lado del fuego, sintió de golpe que tenía unas ganas locas de comer fresas.

—Ve a traerme unas fresas silvestres del bosque —ordenó a su hermanastra.

—Pero querida hermana, ¿alguna vez has visto crecer fresas en pleno invierno? —respondió amablemente María.

—No te pido que discutas mis órdenes —gritó Elena—. ¡Si no me traes las fresas, te pegaré!

La madrastra empujó a María por la espalda y la echó fuera de casa. La pobre María lloraba desconsoladamente en la soledad del bosque, cuando distinguió la misma luz que el día anterior, en lo alto de la montaña. Sentados sobre doce grandes piedras, los doce meses seguían contemplando las llamas sin decir palabra.

—¿Por qué has vuelto? —preguntó Enero.

La infeliz María le explicó lo que le había ordenado su hermanastra. Entonces Enero se levantó despacio y tendió su cetro al mes que estaba sentado frente a él.

—Hermano Junio —dijo—, siéntate unos instantes en mi lugar.

Junio se sentó sobre la piedra más alta y pasó el cetro por encima del fuego. Unas llamas altas y claras iluminaron el cielo, la nieve se fundió, la hierba reverdeció, los árboles se cubrieron de hojas y el bosque se vistió de flores y cantos de los pájaros. Era verano. El suelo se cubrió de florecitas blancas y, muy pronto, unas fresas rojas y apetitosas lo tapizaron.

—Recoge estas fresas —aconsejó Junio a la niña—, pero, ¡date prisa!

María siguió sus indicaciones, dio las gracias a los doce meses y volvió corriendo a casa. Apenas hubo entrado, un dulce aroma a fresa invadió la habitación.

—¿Dónde has encontrado estas fresas? —preguntó intrigada su hermanastra.

—En lo alto de la montaña —respondió María—. Hay una verdadera alfombra en un claro del bosque.

Elena y su madre se hartaron de fresas y no dejaron ni una sola para la pobre María.

Al día siguiente, Elena tuvo, inesperadamente, el capricho de comerse unas manzanas bien rojas.

—Pero querida hermana —le dijo María amablemente—, ¿dónde voy a encontrar manzanas en pleno invierno?

—¡¡Pretendes contradecirme otra vez!! Te aconsejo que me traigas unas manzanas bien bonitas y bien rojas, o te pegaré.

La madrastra echó a la pobre María a la nieve y cerró la puerta tras ella. María lloraba, sola en el bosque nevado, pero en esta ocasión se dirigió sin dudarlo a la cumbre de la montaña donde los doce meses seguían contemplando las llamas en silencio, Enero sentado en la piedra más alta.

—¿Qué estás buscando esta vez? —le preguntó Enero.

—Unas manzanas bien bonitas y bien rojas.

—¡Pero si en invierno no hay manzanas rojas!

—Lo sé —replicó María—, pero mi hermanastra y mi madrastra me han ordenado que se las lleve. ¡Por favor, ayudadme!

359

Enero se levantó y tendió su cetro a Septiembre.

—Hermano Septiembre —dijo—, ocupa mi lugar unos instantes.

Septiembre se sentó en la piedra más alta y pasó el cetro por encima del fuego. Las llamas se tiñeron de rojo, la nieve se fundió, pero en vez de crecer, las hojas cayeron una tras otra, llevadas por un frío viento de otoño.

En un árbol, María vio aparecer como por encantamiento unas manzanas bonitas y rojas.

—¡Apresúrate a recogerlas! —le dijo Septiembre.

María sacudió una rama del manzano y una manzana rodó por el suelo. Repitió la misma operación y cayó otra fruta.

—¡Date prisa, María! —insistió Septiembre—. ¡Date prisa!

La joven tomó agradecida dos hermosas manzanas y regresó corriendo a su casa.

—¿Dónde has encontrado estas manzanas? —preguntó Elena iracunda.

—Crecían en un árbol, en lo alto de la montaña. Las ramas se doblaban bajo su peso.

—Entonces ¿por qué no has cogido más? —gruñó Elena—. Espero que no hayas comido por el camino.

—No, querida hermana, no he comido ni una sola manzana. Lo que ha sucedido es que al sacudir la rama, sólo cayó una manzana, y cuando volví a sacudirla ocurrió lo mismo. Después me he dado prisa para regresar pronto a casa.

—¡Eres una mentirosa redomada! —exclamó la hermanastra.

María corrió a la cocina llorando. Ni Elena ni la madrastra habían comido jamás unas manzanas tan buenas y bien que les hubiera gustado comerse unas cuantas más.

—Dame el abrigo de pieles —pidió Elena a su madre—. Voy a ir a buscarlas yo misma.

La madre intentó en vano disuadirla. Al poco tiempo, la veía alejarse por la nieve. Hacía frío y la joven no veía un alma con vida. Vagó durante largo tiempo por el bosque. De golpe, distinguió una luz a lo lejos y, tras una larga marcha, vio en una montaña el fuego en torno al cual estaban sentados los doce meses. Sin ni siquiera saludarlos, aproximó sus manos a las llamas para calentarse.

—¿Para qué has venido? —refunfuñó Enero.

—¡A ti qué te importa, viejo imbécil! —respondió Elena de malas maneras.

La niña se dio media vuelta y se marchó sin decir palabra. Enero frunció el entrecejo y pasó el cetro por encima del fuego. Entonces el cielo se oscureció, un viento glacial casi apagó la llama y empezaron a caer en grandes copos de nieve. Elena tropezaba con las ramas muertas, se hundía en los surcos, cegada por la tempestad que redobla- ba su violencia. Tiritaba pese al abrigo de pieles y el frío entumecía su cuerpo. En casa, la madre esperaba el regreso de su hija con inquietud.

—¿Acaso le gustan tanto las manzanas que no desea ni regresar a casa? Tendré que ir a ver si no le ha pasado nada —dijo, poniéndose el abrigo.

La llamó en medio de la tormenta, pero sólo le respondía el silbido glacial del viento. Vagó un largo tiempo, un tiempo muy, muy largo, buscando desesperadamente a su hija.

En cuanto a María, ya había ordeñado la vaca y preparado la comida,

pero ni su madrastra ni Elena regresaron. El frío les había helado la sangre en las venas y se habían muerto en el bosque.

A partir de ese día, María vivió sola en la casa. Algún tiempo más tarde, se enamoró de un encantador joven con el que se casó y tuvieron muchos niños.

Travesuras y
buenas lecciones

La calabaza y el caballo

Cuento popular

Érase una vez un rey al que le encantaba comer y beber, reír y divertirse. Era bueno con sus súbditos, pero odiaba a los mentirosos y a los avaros. Un día estaba jugando a las cartas con su bufón, cuando un campesino entró con una calabaza enorme sobre la cabeza.

—¡Buenos días! —saludó respetuosamente el campesino.

—¡Buenos días, amigo mío! —respondió el rey—. ¿Adónde vas con esta calabaza sobre la cabeza?

—¡Es para vos! Pedid a vuestro cocinero que os prepare una sopa y, ya veréis, ¡una delicia!

—Eres muy amable —dijo el rey—, ve a llevarla a la cocina. Este hombre me gusta —añadió el soberano a su bufón cuando el campesino se hubo marchado—. ¿Cómo podría recompensarle?

—Esperad primero a saber si no os ha ofrecido una cerilla con la esperanza de recibir cuatro vacas a cambio —respondió el bufón con sensatez—.Y si éste no es el caso, ofrecedle un caballo.

El rey mandó llamar al campesino.

—¿Qué deseas como recompensa? —le pidió.

—¿Que qué quiero? —titubeó el campesino—. Pues nada…, sólo un puñado de semillas para que crezcan más calabazas.

El rey, convencido de la generosidad de su súbdito, le ofreció un caballo magnífico, y el campesino volvió a su casa loco de alegría.

Por el camino encontró a su patrón, un conde hosco y avaro.

—¿Cómo has conseguido este caballo? —preguntó éste al campesino.

—¡A cambio de una calabaza!

«Si el rey regala un caballo por una calabaza —pensó el conde—, seguro que me da un arcón lleno de oro por un caballo de pura raza…» Y al día siguiente se presentó en el palacio llevando por la brida su más hermoso animal.

—¿Buenos días! —dijo el conde con fingida amabilidad—. Soy el señor del campesino que os ofreció la calabaza y al que disteis un caballo. He pensado en traeros este caballo puro para agradeceros vuestra bondad.

—Qué conde tan generoso —dijo el rey a su bufón en cuanto hubo salido el conde—. ¿Cómo podría recompensarle?

—Esperad primero a saber si no os ha ofrecido una cerilla con la esperanza de recibir cuatro vacas a cambio —respondió el bufón con sensatez de nuevo—. Y si éste no es el caso, ofrecedle un cofre lleno de monedas de oro.

El rey mandó llamar al conde.

—¿Qué desearías a cambio de tu caballo? —le preguntó.

—¿Que qué quiero? —respondió el conde con avidez—. Un cofre lleno de monedas de oro.

—¡Tendrás algo mucho mejor! —exclamó el rey.

Llamó a su cocinero.

—Has separado las semillas de la calabaza —dijo—, pues bien, divídelas en dos montones. El primero será para el campesino, para que pueda cultivar otras bonitas calabazas. ¡El segundo para el señor conde, que hará de ellas lo que le plazca!

Y de este modo el avaro fue castigado por su codicia y perdió tontamente su bello y preciado caballo.

Las tres arpías y el anillo del diablo

Cuento tradicional

Había una vez un pueblo en el que vivían tres mujeres: Beatriz, Bárbara y Rosa. Eran tres arpías malas y cotillas. Sus maridos o bien eran buenos o bien unos tontos…

Un día, al regresar del mercado, vieron brillar por el camino un magnífico anillo de oro. ¡Tropezaron entre sí, se empujaron para que ninguna lo cogiera antes que la otra y se hicieron daño!

—¡Se me ocurre una idea! —dijo Beatriz—. Que el anillo sea de aquella de nosotras tres que mejor mienta a su marido!

—¡De acuerdo! —exclamaron las otras al encontrar esta idea realmente divertida.

Escondieron el anillo y regresaron a sus casas.

En el momento en que Beatriz cruzó el umbral de su casa, se puso a llorar y gemir.

—¡Adiós, esposo mío! —dijo entre sollozos—. Estoy enferma y voy a morir…

Su marido la miró preocupado.

—¿Qué puedo hacer por ti? —preguntó solícito.

—¡Oh! —suspiró Beatriz—. Hay un remedio… He consultado a

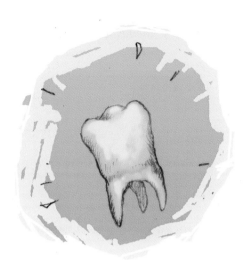

un curandero que me ha dicho que sólo el polvo de un diente de mi marido me haría recobrar la salud.

A continuación lanzó un grito desgarrador. El marido corrió a casa del herrero y le suplicó que le arrancara un diente. ¡El dolor fue espantoso! El pobre hombre volvió a su casa con la boca ensangrentada pero feliz de poder salvar a su esposa con uno de sus dientes reducido a polvo.

Durante ese tiempo, Bárbara había ido a ver al sacristán y le había prometido una moneda de oro si le prestaba el hábito de obispo, su cruz, los guantes y la mitra.

—En la ciudad me he encontrado con monseñor el obispo —dijo

feliz a su marido al llegar a casa—. ¡Ha oído hablar mucho de ti y quiere nombrarte prelado! ¡Te envía este hábito, los guantes y la mitra para que te los pruebes!

—Nombrarme prelado… —balbuceó el pobre hombre—. ¡Si casi no me sé las oraciones y no conozco ni una sola palabra en latín!

—¡La función de obispo te ha caído del cielo! —replicó Bárbara—. ¡El latín también te caerá del cielo!

Entonces, el pobre marido se puso los hábitos y avanzó despacio por la habitación, con la cruz en la mano.

Cuando Rosa entró en su casa, su marido dormía profundamente. Recogió unas flores y las distribuyó alrededor de la cama, después puso sobre la colcha una lápida mortuoria que había pedido al sepulturero, y encendió unas velas.

Cuando el marido se despertó, miró a su alrededor atónito.

—¿Qué pasa aquí? —preguntó a su mujer, que estaba rezando.

—¡Querido mío! —dijo ella entre hipos—. Te has muerto…

—¡Estás loca…! —gritó el marido intentando levantarse.

Pero no pudo porque la lápida le impedía moverse. Inspiró el olor

de las flores, escuchó los gritos de dolor de su mujer y se dijo que ella debía de tener razón.

—Dejar la vida tan repentinamente —gimió—. Me gustaría tanto dar una vuelta por el pueblo antes de que me enterraran…

«¿Por qué no?», pensó Rosa. Puso a su marido en una carretilla, lo cubrió de flores y pasó bajo las ventanas de Bárbara.

—Ves —dijo la mujer—, el obispo ya está ahí para tu entierro.

Después pasó por delante de la casa de Beatriz. Su pobre marido, sentado ante la puerta, gemía de dolor con una mano en la mejilla.

—Ves —dijo la mujer—, tu vecino está llorando…

El marido de Rosa ya no tuvo más dudas: ¡estaba bien muerto!

Fue en ese instante cuando el sacristán, el herrero y el sepulturero se encontraron en el albergue e intercambiaron información sobre las extrañas peticiones de las tres arpías.

—¡Alguna diablura deben de estar haciendo! —concluyó el herrero—. Voy a acercarme a ver qué sucede.

Cuando el herrero vio al marido de
Rosa en la carretilla, le dio una bofe-
tada tal que lo devolvió a la realidad.
Comprendió que su esposa se había
burlado de él. Pasó a recoger al marido de Beatriz quien, el pobre, se dio
cuenta de que se había hecho arrancar
un diente para nada, y ambos hombres
salieron en busca del marido de Bárbara. Los tres tomaron la decisión de que
a partir de entonces serían más firmes y
autoritarios.

En cuanto al anillo, había desaparecido, ¡el demonio había tendido una
trampa a las tres arpías!

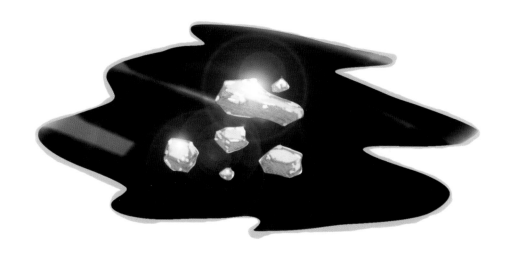

La nariz llena de oro

Fábula de los pioneros americanos

C uando en América corrió el rumor de que más allá de los desiertos y las montañas Rocosas se encontraba oro, afluyeron riadas de aventureros hacia el Oeste. Todos ardían de impaciencia por ver surgir de la tierra una pepita tan grande como la cabeza de un caballo.

Pero el oro jugaba al escondite con los buscadores disimulándose en el suelo como un zorrito rojo y muy sagaz que se esconde tras los troncos de los árboles. Muchos eran los que ya habían regresado y revuelto toneladas enteras de arena y de guijarros sin haber encontrado jamás ni una sola señal del oro.

No obstante hubo algunos buscadores con más suerte. Bastaba con que su caballo hiciera rodar una piedra, para que una pepita de oro centelleara bajo el sol.

Esto ocurría en muchas de las pequeñas ciudades que brotaron como setas tras la lluvia. Por la noche, mientras los buscadores bebían y jugaban a las cartas en una taberna, entró de repente un barbudo en la sala, con la camisa a cuadros, un sombrero de alas anchas y un pañuelo rojo mal anudado alrededor del cuello.

Se dirigió directamente a la barra y pidió un gran vaso de whisky.

Al tiempo que daba vueltas lentamente al vaso entre sus dedos, paseaba una mirada asombrada sobre los parroquianos y, después, a media voz, soltaba:

—¡Vaya!, ¡no pienso volver! La gente se queda aquí, jugando cómodamente a las cartas mientras que fuera, en algún lugar, espera una enorme cantidad de oro.

Los jugadores dejaron sus cartas, los bebedores apuraron sus vasos: todos se agolparon junto al barbudo y le acribillaron a preguntas:

«¿El oro?, ¿de verdad ha encontrado oro?, ¿y sabe si todavía queda un poco para nosotros?»

El barbudo con la camisa a cuadros se contentó con sonreír y se hizo rogar hasta el punto que habría sido necesario dos pares de bueyes para arrancarle una sola palabra, pues se encogía sin parar de hombros y murmuraba palabras ininteligibles.

Se hizo entonces llevar una copiosa comida y aceptó generosamente que el dueño del albergue le sirviera una botella del mejor whisky. Tomó lentamente una copa y, a continuación, midiendo cada una de sus palabras, se puso a hablar:

—Allá arriba, en el arroyo, hay tanto oro que el agua ni siquiera puede correr.

Los ojos de los buscadores se abrieron como platos.

—Pero —continuó el barbudo—, imaginad que cuando se levanta la brisa el polvo de oro se pone a girar en el aire y entra en la nariz, el cuello y las orejas.

—¡No es posible!, es demasiado bonito para ser cierto —dijeron los buscadores incrédulos.

—Desgraciado quien se aventure al lado del arroyo con tos o resfriado —prosiguió el barbudo tras beber un trago de whisky—. En cuanto estornuda le sale tal nube de polvo de oro de la nariz que podría comprarse con ella una gran mansión, además de una carreta y un par de yeguas. Si estornudas, toda una fortuna se disipa inmediatamente en el aire y ante tus ojos.

Apenas hubo acabado de hablar, que la taberna se transformó en un verdadero gallinero: los hombres hablaban todos al mismo tiempo y ya estaban formando grupos pequeños para preparar las cosas para el día siguiente. Durante ese tiempo, el barbudo de la camisa a cuadros terminó tranquilamente de comer, concluyó la botella de whisky y, discretamente, se escabulló.

Al día siguiente por la mañana, una bulliciosa muchedumbre de buscadores de oro se desplegó por las callejuelas para llegar al arroyo aurífero. Los hombres se arremangaron, hundieron las palas en el fondo arenoso del arroyo y a continuación se pusieron a tamizar la arena.

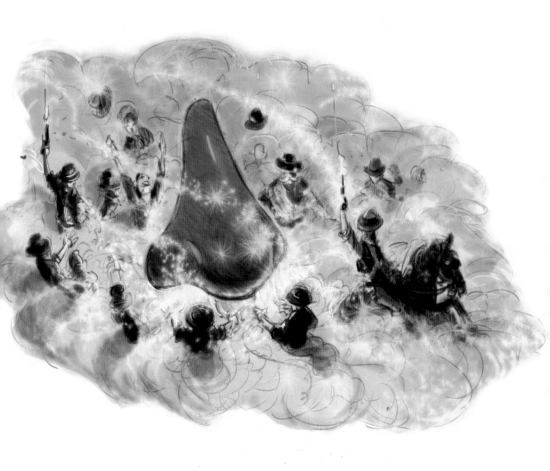

Pero el oro brillaba por su ausencia.

Probaron entonces una segunda vez. Y una tercera. Pero, nada de nada. El oro no aparecía.

De repente, uno de los buscadores volvió la cabeza hacia la orilla y se dio cuenta de que, colgado de una rama de árbol, había un trozo de papel.

Salió del agua y se puso a leer en voz alta:

«Gracias por vuestra amable acogida: la cena estaba buena y el whisky pasable. Desgraciadamente para vosotros, estoy provisto de una nariz enorme y todo el polvo de oro del arroyo ya se me ha depositado en ella. Esperad pues a que yo estornude y tal vez haya también un poco de oro para vosotros.»

La enfermedad de Alí

Cuento árabe

Érase una vez un ladrón. Sin embargo, no se le podía reprochar que lo fuera, pues en la familia de Alí el oficio de ladrón pasaba de padre a hijo. Alí tuvo pues que encargarse de la empresa familiar que, además, no funcionaba demasiado bien. Los ricos se parapetaban detrás de barrotes y rejas y lo que dejaban al alcance de la mano no tenía gran valor. De todos modos, en verano, cuando las puertas y ventanas quedaban abiertas para dejar pasar el fresco de la noche, Alí tenía más posibilidades. Una noche, mientras que el landronzuelo introducía el brazo por una ventana con la esperanza de robar algún objeto de valor, oyó a una anciana lamentarse:

—¿Por qué una anciana como yo debe sufrir tanto? ¡Este horrible glup glup me matará!, ¡Glup glup!, ¡Horrible glup glup! ¡No te podré aguantar una noche más!

¡A Alí se le heló la sangre de las venas! ¿Qué debería ser esta terrible enfermedad?, ¿y cómo se contagiaba?

«¡Tal vez al respirar el mismo aire que el enfermo!», pensó el joven asustado. Ya sentía que un sudor frío se deslizaba por la espalda.

Alí regresó corriendo a su casa, pero pronto las piernas se negaron a sostenerlo y, con las prisas, tropezaba con las piedras y estaba a punto de caer.

—Qué pronto vuelves —dijo asombrada su esposa—. ¿Has traído algo bonito?

—¡Glup glup! Eso es lo que he traído. ¡El terrible gup glup! Mujer, ve a buscar al doctor. ¡Me muero!

Intranquila, la esposa corrió a buscar al doctor:

—Mi marido ha cogido el glup glup —le dijo alarmada—. ¿Es grave, doctor?

La buena mujer estaba convencida de que el doctor tenía un remedio para todas las enfermedades. El doctor, a su vez, se guardó mucho de confesar que nunca había oído hablar de ese terrible glup glup. Con aire preocupado, miraba a Alí, hundido en el fondo de su lecho.

«Se diría que es serio —pensó Alí—. Voy a morirme.»

—Vamos a ver —dijo el doctor, intrigado por esta nueva enfermedad—. ¿Dónde puedes haber cogido esta… hummm… este glup glup?

—En casa de una anciana —respondió el landronzuelo—. Pasaba yo por casualidad y tenía la ventana abierta. Pensé que la insensata habría podido dejar por allí algún objeto de valor. ¡Ya sabe cuántos ladrones corren por ahí!

—Lo sé —contestó el doctor.

El doctor se presentó entonces en casa de la anciana.

«¿Qué hago? –dudó ante la ventana abierta—. ¿Debo entrar? Pero que pasará si yo también me contagio de ese terrible glup glup? ¡Podría hasta llegar a morir!»

—¡Oooh! —gimió entonces la anciana desde el interior de la casa—. ¿Quién podrá liberarme de tanto sufrimiento? ¡No soportaré este terrible glup glup ni un minuto más!

Se percató entonces de la silueta del hombre en la ventana.

—¿Quién está ahí? —exclamó saltando de la cama—. ¿No le da vergüenza andar fisgando por la noche en la casa de una anciana? ¡Podría haberme dado un susto de muerte!

«¡No parece estar muy enferma!», pensó el doctor más tranquilo.

—He venido por lo de ese terrible glup glup –dijo.

—¿Es usted fontanero? —preguntó la anciana.

—No —se sorprendió el doctor—. Soy médico.

—Y para qué quiero yo a un médico —replicó la anciana con un tono cortante—. ¡No estoy enferma!

—¡No está usted enferma! ¿No tiene usted la terrible enfermedad del glup glup?

—¡El terrible glup glup!, ¡el terrible glup glup! —exclamó la mujer al tiempo que soltaba una gran carcajada—. ¡Aquí tiene su terrible glup glup!

Mostró al doctor el grifo que goteaba sobre el fregadero.

¡Glup glup, glup glup, glup glup!, repiqueteaban las gotas al caer.

—¿Podría usted curarme de esto, doctor? —se burló la anciana.

Más tarde, cuando llegó a casa de Alí, hasta el mismo doctor encontró su idea ridícula, pero ¡qué más daba! De nuevo aparentó un aire de gravedad.

—Puedo curarte de este terrible glup glup —dijo sentenciosamente al presunto enfermo—. Pero no será fácil.

—¡Pobre de mí! –gimió Alí desde el fondo de su cama.

—Pero si vas a seguir siendo ladrón —continuó el doctor—, quizá sea mejor que te deje morir.

—Nunca más volveré a robar. Se lo prometo, doctor.

El doctor le tendió un vaso de agua y Alí se lo bebió de un trago.

—Es un milagro, doctor —exclamó el joven levantándose de un bote—. Ya me siento mejor.

—Me alegro —dijo el doctor—, pero el verdadero milagro sería que dejaras de robar.

Y, para gran sorpresa del médico, Alí cumplió su palabra. Se convirtió en artesano. Muy pronto se le vio arreglando por aquí, construyendo por allá y disfrutando mucho de su nuevo oficio. Trabajaba por fin a la luz del día, sin esconderse, y conocía a mucha gente. En muy poco tiempo e hizo cantidad de amigos.

Se dice que su primer trabajo consistió en arreglar el grifo, que hacía tiempo goteaba, de una anciana. Y que fue el doctor quien se lo había encargado.

Las gafas mágicas

Cuento checo

Hay hombres que sufren enfermedades muy extrañas. Un jueves, un joven barbudo acudió a la consulta del doctor Grasadecordero y le dijo:

—Doctor, estoy enfermo. No me duele en ninguna parte, pero algunos días estoy triste y otros muy contento.

—Hummm, hummm —dijo el doctor reflexionando. Después envió al muchacho barbudo a otro médico.

—El joven muchacho acudió a todos los médicos de la ciudad, pero ninguno había oído hablar de esta extraña enfermedad.

El último al que consultó, una lechuza calva de cabeza redonda, era el médico jefe. Y dado que un médico jefe debe saberlo todo, enseguida se dio cuenta de la naturaleza de la enfermedad. Antes de que el muchacho hubiera terminado sus explicaciones, le dijo.

—No es nada, amigo mío. Necesita unas gafas.

Con un grácil paso se dirigió al armario, donde se podían ver aproximadamente un millón de gafas, y tomó unas que tenían un cristal rosa y otro negro.

Se las tendió al muchacho con las instrucciones.

—Si el lunes está de mal humor, abra el ojo izquierdo y cierre el derecho para ver el mundo a través de un vidrio de color rosa. Todo le parecerá muy bonito y recuperará el equilibrio anímico. El martes, en cambio, tendrá que

cerrar usted el ojo izquierdo y abrir el derecho, de modo que disminuya un poco su buen humor. Mirará el mundo a través del vidrio negro. El día siguiente cambiará: rosa, negro, rosa, negro. El domingo no mirará nada y sus ojos se tomarán un descanso. ¡Hasta otro día!

El joven muchacho barbudo parecía contento de haber encontrado por fin a un médico eficaz, que enseguida le había descubierto su peculiar enfermedad. Desde ese día, el joven muchacho siguió las indicaciones al pie de la letra.

Y de hecho, sus pensamientos alegres y tristes desaparecieron completamente.

Ahora siempre estaba del mismo humor: tanto el lunes como el viernes, el jueves como el martes, el miércoles..., el sábado también. El domingo, dormía.

Pero la vida tampoco le deparaba ninguna alegría. Le molestaba comer siempre la misma sopa en el mismo comedor de una escuela que siempre parecía la misma.

—Compadeceos de mí —decía algunos días—, sí, compadeceos de mí. Todo es tan parecido, tan monótono, tan igual, ¡qué aburrido!

Y el muchacho barbudo perdió la sonrisa.

Sin embargo, todo cambió el día en que se paseó por un puente. Era un miércoles: ese día, día del buen humor, miraba a través del vidrio rosa. Cerca de él pasó un gorro de paja empujado por el viento: revoloteaba, giraba, daba vueltas, se elevó hacia el cielo y, de forma inesperada, como un paracaídas, cayó en el agua. El joven no quiso perderse

este espectáculo y se inclinó por encima de la barandilla. ¡Qué desgracia! Se le cayeron las gafas al agua. Abrió los ojos como platos, algo que no le sucedía desde hacía mucho tiempo, y observó los círculos en el agua, donde se hundía el sombrero de paja adornado con flores.

Alguien se rio a su espalda y el se dio la vuelta: era una muchacha. Ella lo observó unos instantes y después volvió a reírse y dijo:

—¡Qué guapo estás con esta barba!

El muchacho barbudo se rascó pensativo la frente, pues no se acordaba de por qué llevaba barba. Por nada del mundo quería seguir llevando la barba, así que se fue al barbero para que se la afeitaran. La muchacha le acompañó.

—Quiero ver como serás sin barba —le dijo ella.

Y mientras que le afeitaban, ella le hizo muecas a través del vidrio. Todavía se partía de risa al salir. Y mientras regresaba al puente con ella, le pareció que reír de este modo le sentaba bien. Pensó que sin sus gafas, algunos días estaría triste, ¡pero le dio igual! ¿Acaso las lágrimas, la risa, la tristeza y la alegría son una enfermedad? Sin ellos el mundo sería insulso. El muchacho lo comprendió y se sintió satisfecho.

Un Decimotercero más listo que el hambre
Cuento tradicional

Había una vez una viuda que vivía sola con sus trece hijos, pero como era pobre, tenía muchas dificultades para criarlos.

—Queridos hijos míos —les dijo cuando fueron lo suficientemente mayores—, a partir de ahora tenéis que ganaros la vida.

Con un pequeño hatillo al hombro, los niños se pusieron en camino. Llegaron finalmente a la corte de un rey y allí pidieron limosna.

—¿Cómo queréis que dé limosna a tanto niño junto? —preguntó el rey—. De todos modos, si uno de vosotros fuera lo bastante intrépido para traerme el edredón de ese maldito lobo que hace estragos entre mis rebaños, le daría una buena recompensa.

El más joven, que no medía más de un palmo pero era más listo que el hambre dio un paso hacia el rey. Puesto que era el decimotercero de los hijos, lo llamaban Decimotercero.

—¡Yo os traeré el edredón del lobo! —dijo—. Pero para esto necesitaré un alfiler de seis pies de largo.

El rey le dio el alfiler y Decimotercero se marchó a la guarida del lobo. Se escondió en un bosquecillo cercano y esperó a que saliera el animal. Se subió entonces por el tejado, bajó por la chimenea y se escondió debajo de la cama.

Cuando el lobo regresó a su madriguera y se acostó, Decimotercero empezó a clavar la aguja en el colchón por aquí y por allá. El lobo se retorcía por todos los lados pegando aullidos. A Decimotercero no le faltó tiempo para agarrar el edredón y huir a toda prisa.

El lobo tenía un loro muy sabio que no sólo sabía dar la hora, sino muchas otras cosas de la vida. Al día siguiente por la mañana, el lobo se despertó y preguntó enseguida la hora.

—Las cinco —le respondió el loro—, y Decimotercero te ha robado el edredón.

—¿Puede saberse quién es ese famoso Decimotercero?

—Decimotercero es un niño no más alto que un palmo, pero más listo que el hambre.

—¡Ese sinvergüenza! —exclamó el lobo—, ¡como lo coja me lo comeré de un mordisco!

Entre tanto, Decimotercero mostraba con orgullo el edredón al rey.

—Escúchame bien, Decimotercero, dijo el rey sorprendido, si tus hermanos y tú queréis haceros verdaderamente ricos, tendrías que traerme todavía la almohada del lobo, la que está adornada con campanillas.

—Como gustéis, Majestad —respondió Decimotercero—. Pero para lograrlo necesitaría algodón.

Esa misma noche, Decimotercero se subía al tejado de la guarida del lobo, bajaba por la chimenea y se escondía de nuevo bajo la cama.

Cuando el lobo se durmió, Decimotercero salió de su escondite, llenó cada campanilla de algodón para que no tintinearan, cogió la almohada y huyó sin la menor demora.

—Lorito —preguntó el lobo—, ¿qué hora es?

—Son las cuatro y Decimotercero te ha robado la almohada.

—¡Esta vez ha ido demasiado lejos! —gruñó el lobo encolerizado—. ¡Me las pagará!

El rey se alegró mucho cuando Decimotercero le llevó la almohada, pero no se conformó con eso.

—¡Eres el rey de los ladrones, Decimotercero, y te prometo que haré de ti un hombre rico y poderoso si me traes al mismísimo lobo!

—¡Pobre de mí! —gimió Decimotercero—. ¡Nunca conseguiré atraparlo!

Por la noche, Decimotercero no pudo dormirse hasta muy tarde, pero tuvo un sueño magnífico y se despertó de muy buen humor.

—¡Ya sé cómo atrapar al lobo! —exclamó frotándose las manos.

Sacó una carretilla del granero y puso algunas tablas, clavos y un martillo, y se internó en el bosque.

—¡Decimotercero ha muerto!, ¡Decimotercero ha muerto! —gritó a pleno pulmón al pasar por la guarida del lobo—. ¿Quién me ayuda a hacerle el ataúd?

Y, sin esperar ni un minuto más, se puso a martillear ruidosamente.

—¡Yo! —respondió el lobo—, yo te ayudaré gustosamente.

Decimotercero y el lobo trabajaron con tanto ardor que el ataúd pronto estuvo terminado.

—Decimotercero es más o menos de tu talla —dijo entonces el niño al lobo—. Tiéndete en el ataúd para que vea si es lo bastante grande.

El lobo, que no sospechaba de nada, se tendió de buen grado en el ataúd, pero antes de que llegara a comprender qué pasaba, Decimotercero puso la tapa sobre el ataúd y lo cerró a conciencia con clavos.

—¡Eh!, ¿qué haces? —gritó el lobo desde el interior del ataúd—. ¡Ábreme!, ¡que me ahogo!

Decimotercero, sin hacer caso de los gritos, puso el último clavo.

—Tranquilo, viejo lobo. ¡Ah!, de hecho he olvidado decirte que me llamo Decimotercero. ¡Sí, sí, golpea más fuerte para que compruebe que el ataúd es lo suficientemente sólido!

Cargó el ataúd en la carretilla y la empujó silbando hasta la corte del rey. Sus hermanos no podían creer lo que veían sus ojos.

El rey le dio ese mismo día un saco lleno de monedas de oro y lo nombró señor de su reino.

El palillo

Leyenda de América del Norte

El carpintero Sol Shell vivía en una sólida cabaña hecha de troncos de árboles al pie de los Montes de los Pinos. Un buen día, al levantarse, constató pasmado que la habitación estaba todavía sumergida en una profunda oscuridad. Intrigado, se acercó a la puerta para echar una ojeada fuera, pero era imposible abrir. La casa estaba cubierta de nieve y todos los orificios estaban bloqueados. ¡Shell estaba prisionero en su propia casa!

Sin perder la cabeza, el carpintero verificó la reserva de leña y su despensa. Sólo le quedaba leña para dos o tres días; en cuanto a los alimentos, podría aguantar un tiempo. Acto seguido, encendió un buen fuego y se preparó una sopa.

No obstante, el cuarto día tuvo que romper sillas y estanterías para mantener vivo el fuego. Al cabo de una semana, víctima del frío, decidió hacer algo para salir de esta situación tan precaria. Arrancó el tubo de la estufa, se puso el hacha en el cinto y trepó por la chimenea

hasta el tejado. Cuando consiguió ponerse en pie sobre la techumbre, hundió el tubo de la estufa a través del montón de nieve para tener aire fresco y se puso a cavar una pequeña galería a través de la nieve que fuera directa hacia el cielo.

Tras varias horas de ardua tarea, consiguió abrirse camino por esa masa blanca. Una vez al aire libre, miró a su alrededor.

El campo no era más que un inmenso océano de nieve, las pocas caba-ñas de los alrededores habían desaparecido. De la multitud de abetos y puntiagudos pinos, sólo se veía la copa. Sin embargo, sobre una ladera de los Montes de los Pinos se alzaba cual alto era un gran pino. No cabía duda de que en ese lugar el viento había vencido a la nieve.

El leñador partió en dirección al árbol solitario, decidido a cortarlo. No se trataba de un simple paseo, tuvo que ir subiendo a las copas de los árboles para no hundirse hasta el cuello en la nieve, pero consiguió como pudo llegar hasta el pie del árbol.

Entonces acometió contra el árbol. Cuando éste hubo caído, cortó las ramas para tener con qué encender el fuego. Una vez concluida la tarea, se apoyó contra el tronco desnudo para recuperar el aliento, pero éste se escurrió y ¡fizzzzzzz! Empezó a rodar por la abrupta ladera de la montaña a toda velocidad.

«¡Qué tonto soy —se reprochó el leñador—, dejo que se me escape delante de las narices esta magnífica leña! En fin, después de todo, me queda este gran montón de ramas.» Con ayuda de una cuerda, hizo un enorme haz y emprendió despacio el descenso hacia su casa.

De golpe, oyó a sus espaldas un ronquido sordo. Se dio la vuelta y se quedó boquiabierto. El inmenso tronco había rodado hasta el fondo del valle y, con el impulso, había subido por la ladera del monte opuesto para detenerse en la cima. A continuación había rodado de nuevo pendiente abajo y subía ahora por el lado de los Montes de los Pinos.

El leñador intentó inútilmente detener la carrera infernal del árbol. Cada vez que el tronco pasaba a su alcance, levantaba el hacha y, ¡zas!, pero el tronco rodaba tan deprisa que siempre fallaba. Y antes de que consiguiera recuperar el hacha hundida en la masa blanca, el tronco ya estaba sobre una cima o sobre otra. Después de varias tentativas vanas, no le quedó más remedio que volver a pasar la gruesa cuerda por encima del hombro y tirar del haz de leña hasta su casa.

Durante tres días y tres noches, se oyó en todo el valle al pie de los Montes de los Pinos el sordo ronquido que hacía el tronco rodando pendiente arriba y abajo. Como si un gigante se divirtiera empujándolo para pasar el tiempo.

En su casita cubierta de nieve, el leñador Shell disfrutaba de un

fuego chispeante. Sin embargo, al cuarto día, ya había gastado hasta la última ramita de toda la reserva de leña. Así que para mantener el fuego y evitar morir de frío, tuvo que cortar la mesa en trozos y arrancar las tablas de madera que cubrían el suelo de su casa.

A la mañana del día siguiente, mientras que ya se preparaba para romper su cama, oyó de golpe, detrás de la puerta, un ligero ¡flop!, ¡flop!, ¡flop!, casi imperceptible. A lo largo de los afilados goterones que pendían del tejado se deslizaban numerosas gotitas que caían en el umbral de la entrada de la casa. ¡Por fin se iniciaba el deshielo!

Al mediodía, el leñador ya podía salir por la puerta y, sin perder un minuto, corrió a toda prisa para comprar alimentos. Por el camino se dio cuenta de que ya no veía ni oía el tronco de pino rodar por las dos laderas del valle. Sólo un ligero murmullo se percibía todavía procedente del valle, como si el viento murmurase un secreto a los árboles.

Volvió entonces sobre sus pasos para ver de qué se trataba. Y, otra vez, se quedó boquiabierto ante el nuevo espectáculo: lo que rodaba por las dos pendientes, ya no era el gigantesco tronco del pino, sino un trozo de madera diminuto, de apenas cinco centímetros. A fuerza de rodar y rodar, el tronco se había pulido y limado tanto y tan bien que sólo quedaba un palillo delgado y delicadamente pulido.

Desde entonces, cuando los leñadores, cazadores y granjeros del lugar se reúnen en casa de Sol Shell para celebrar su cumpleaños, el viejo leñador nunca olvida sacar del bolsillo de su chaleco un bonito y pulido palillo. Es tan duro y está tan bien pulido que ha sobrevivido a todos los banquetes y fiestas. ¡Y con razón!

Es el palillo que proviene del tronco del pino trabajado y limado durante ocho días en el valle que está al pie de los Montes de los Pinos.

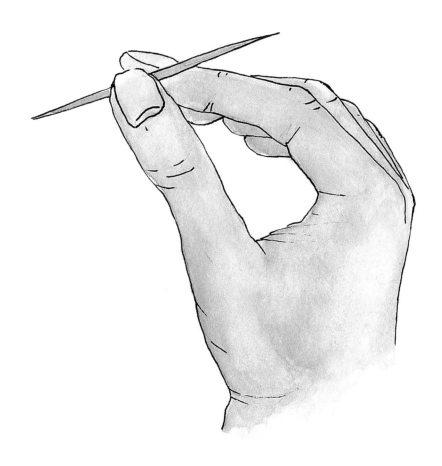

El granjero avaro y el gañán astuto

Cuento tradicional

Había una vez tres hermanos cuyo padre acababa de morir. Su casa se encontraba en un lamentable estado, el establo vacío y en el granero las ratas roían las últimas semillas que quedaban.

—No hay remedio —dijo un día el hijo primogénito a su madre—, voy a intentar encontrar trabajo en la casa de un granjero rico.

Se metió un mendrugo de pan en el bolsillo y marchó enseguida en busca de trabajo.

Al anochecer llegó cerca de una granja. El granjero estaba de pie al borde de un campo de cultivo, evaluando con ojo experto la futura cosecha.

¡Buenas, patrón! —saludó el joven desde el camino—, ¿no tendría por casualidad necesidad de un mozo para trabajar en la granja?

Después de observar al joven de la cabeza a los pies, el granjero accedió:

—Con el dinero que he ganado por la venta del trigo, puedo hacerte una prueba.

El hijo primogénito se puso al servicio del granjero.

Sin embargo, un año más tarde, regresó a su casa con los bolsillos vacíos.

—¡Pero cómo!, deben de haberte robado los ladrones por el camino ya que vuelves sin el dinero de tus sueldos —dijo la madre sin salir de su asombro.

—No, nadie me ha robado por el camino —explicó el hijo primogénito—. Además, es más bien difícil robar donde no hay. Durante todo el año me he deslomado en casa del granjero, pero él, en cuanto podía, me daba una ración de sopa más pequeña, y cuando le he pedido mi salario, se me ha reído en la cara, diciéndome que ya me lo había comido todo.

—¡Esto no va a quedar así! ¡No pienso tolerarlo! —exclamó el segundo hijo, dando un sonoro puñetazo en la mesa—. Conseguiré que me contrate ese granjero tan mala persona. No permitiré que me tome el pelo.

Y acto seguido, cortó una buena hogaza de pan y emprendió el camino.

Cuando llegó cerca de la extensa granja, descubrió al granjero en el huerto, ocupado en calcular la cosecha de manzanas.

—¿No tendría usted necesidad de un mozo de granja al que no le repela el trabajo? —preguntó el joven.

—Con necesidad o sin ella, en la granja nunca falta trabajo y siempre hay algo que hacer. Si sabes trabajar durante el día tan bien como dormir por la noche, podría hacerte una prueba —convino el granjero.

Durante todo un año, el hermano segundo trabajó lo mejor que pudo.

No refunfuñaba ante ninguna tarea, sembraba los campos, recogía el maíz, ordeñaba las vacas. Cuando hubo pasado un año, dijo al granjero:

—Patrón, hace un año que estoy a su servicio y todavía no he visto ni una sola moneda. Me gustaría ahora poder dar a mi madre algo de dinero para aliviar su pobreza. Déme pues mi salario.

—¿De qué salario hablas, hijo mío? —preguntó el granjero mirándolo atónito—. Por lo que yo sé, nunca hemos hablando de que te pague por tu trabajo. Además, has dormido bajo mi techo por más de lo que vale un salario.

Así el hermano segundo regresó a casa tan pobre como cuando había partido un año atrás.

—¿Es que has perdido el dinero que has ganado? —se sorprendió la madre, cuando lo vio llegar sin una sola moneda.

—¿Cómo perder un dinero —suspiró el hijo—que el granjero no me ha dado?

—Bueno, si es así, voy a ir a trabajar a casa de ese viejo avaro y prometo que, además de mi salario, recuperaré los dos vuestros —decidió el hermano menor.

Tomó una hogaza de pan y partió a la casa del codicioso granjero.

El avaro se hallaba en el patio de la granja contando sus gallinas.

Después de haberlo saludado, el menor de los hermanos se quedó inmóvil y sin hablar en la puerta.

—¿Qué haces ahí parado sin decir palabra? —preguntó irritado el granjero—. ¿No estarás buscando trabajo?

—Es más bien el trabajo el que me busca a mí —rio el joven.

—¿Te refieres a que te gustaría trabajar de gañán en mi granja?

—Yo no he dicho esto —replicó el muchacho—. Pero si usted no necesitara a nadie ni siquiera me habría hablado de trabajo.

—Sólo con oírte —dijo el granjero—, ya se ve que sabes darle a la lengua. Si eres tan hábil para labrar el campo como para replicar, podría hacerte una prueba.

—¡Bah, no se trata de hacer pruebas! —replicó el joven—. Antes me gustaría saber cuál sería mi salario.

El granjero se rascó detrás de la oreja.

—¿No querrás insinuar que quiero estafarte?

—Estafar o no estafar —insistió el joven—, yo trabajo igual de bien que usted disimula lo rico que es. Así que mejor que queden las cosas claras. Usted va a darme un trabajo honesto y, al cabo de un año, un honesto centenar de dólares, ¿de acuerdo?

El granjero no tardó en comprender que ese muchacho no tenía ni un pelo de tonto, entonces masculló:

—Hecho. Te pagaré cien dólares a toca teja. —Pero ya estaba dándole vueltas a la cabeza para encontrar el modo de timar al joven.

—De acuerdo, pero antes de aceptar —añadió el nuevo gañán—, me gustaría plantear otro asunto: cada vez que rechace cumplir una labor, perderé mi salario mensual. Y siempre que me vea obligado a dejar de hacer lo que usted me haya ordenado, me pagará un mes de más. ¿Qué opina, patrón?

El granjero, complacido, pensó en su fuero interno: «Has caído en tu propia trampa, listillo, me aprovecharé de ti, ¡antes de que te des cuenta ya te habré estafado!». El granjero asintió con la cabeza y ambos cerraron el trato.

A la mañana siguiente, el granjero despertó al mozo.

—En pie, tómate deprisa el desayuno y ve corriendo a labrar.

Después de tomarse el desayuno, el gañán sugirió:

—¿Y si también tomara por la mañana la comida del mediodía? Así no tendría que volver a la granja.

Tales palabras no desagradaron al granjero y, unos minutos más tarde, la granjera ya le servía una comida de mediodía.

El mozo comió hasta la saciedad y, después de haber bebido unos tragos de sidra, dijo:

—Ya puestos, podría comerme también la cena. Así podría trabajar hasta bien entrada la noche y no tendría que volver a la granja a cenar. ¿Qué opina usted, patrón?

—Sabia decisión —dijo complacido el granjero—se ve enseguida que no tienes nada de vago.

Y la granjera le sirvió inmediatamente la cena.

Cuando el joven hubo terminado de comer, se bebió un gran cuenco de suero de leche y preguntó:

—Después de cenar, ¿qué hace un gañán en esta granja?

—Después de cenar, tienes que irte a dormir inmediatamente para estar bien fresco a la mañana siguiente.

—Si es así, buenas noches a todos —saludó el joven. Y se fue a dormir a su cuchitril.

El granjero se quedó boquiabierto, moviendo la cabeza sin parar. Cuando se hubo repuesto del susto, se precipitó a la habitación y sacó al gañán de la cama:

—Levántate inmediatamente, ¿quién va a trabajar el campo en tu lugar?

—A fe mía que lo ignoro. Pero, de lo que sí me acuerdo muy bien es de que usted me ordenó que fuera a acostarme en cuanto terminara la cena. Ahora, se desdice y me obliga a ir a trabajar al campo después de cenar. No ha respetado usted nuestro acuerdo y exijo que me pague un mes de más.

El granjero gritó tan fuerte que los vidrios de las ventanas temblaron, pero no había nada que hacer. Unos días más tarde, ordenó al gañán que se encargara de vigilar a Blanchette, la vaca más tragona, para que no causara estragos en el maizal.

El gañán se sentó pues en el prado y se puso a vigilar a Blanchette de cerca para evitar que se introdujera en el maizal.

Las otras vacas que pasaban por el prado vecino no tardaron en percatarse de que nadie se ocupaba de ellas, así que corrieron a dispersarse por todo el campo y a saborear las mazorcas de maíz.

—¿Te has vuelto ciego? —gritó de repente el granjero—. Deja deprisa a Blanchette y ve corriendo a sacar a las otras vacas del maizal.

El mozo dejó a Blanchette y se puso a echar el rebaño de vacas.

—Patrón, esta mañana me ha ordenado que vigilara a Blanchette, pero hace un momento me ha obligado a dejarla para echar a las otras vacas del campo de maíz. Acordamos que usted me pagaría un mes de más cuando tuviera que dejar de hacer lo que usted me hubiera ordenado que hiciese.

El granjero pensó acerca de ello, pero la palabra dada es sagrada y, tanto si le gustaba como si no, terminó por decir que sí, ya que no podía faltar a su palabra.

Al día siguiente, el granjero dijo al gañán:

—Cuando vamos al campo siempre tenemos que dar un rodeo

para evitar este cenagal. A ver si acondicionas un paso a través del barrizal que sea sólido.

—Oiga, patrón —preguntó el gañán— ¿quién ha aplanado el caminito que recorre la colina?

—No hagas preguntas idiotas —dijo asombrado el granjero—, sabes tan bien como yo que son las ovejas las que han apisonado con sus patas el sendero que cruza la colina.

Sin plantear ninguna otra pregunta, el mozo sacó su cuchillo y se fue a la colina donde se puso a recortar en el barro seco del sendero las huellas de las ovejas. Hacia mediodía, el granjero, intrigado, se reunió con él en la colina para ver de cerca qué se llevaba entre manos.

Cuando estuvo junto al gañán, exclamó perplejo:

—¿Te has vuelto loco? ¿A quién se le ocurre recortar el barro del sendero?

—No estoy cortando el barro, sino las huellas de las ovejas. Si las ovejas han podido aplanar con sus patas un camino sobre la colina, también podrán hacerlo a través del barrizal. Así que recorto sus huellas secas para poder colocarlas por el cenagal. Mañana podremos por fin cruzarlo por un sendero batido para ir a los campos de labranza.

—¡Déjalo estar, que lo dejes estar, te digo! —soltó el granjero casi ahogándose de cólera.

—De acuerdo, dejo de hacer lo que usted me ha ordenado que hiciera esta mañana. Usted quería que acondicionara un paso firme por el cenagal y ahora me ordena que no lo haga. Según quedamos, tiene usted que pagarme un mes de más.

A punto de explotar de ira, el granjero se llevó las manos a la cabeza; pero no había remedio, tenía que cumplir su promesa.

En las semanas que siguieron, la situación no cambió: día tras día, el granjero se veía obligado a pagar un mes de más a su mozo.

Le daba tanta rabia que ya no podía ni pegar ojo durante la noche: daba vueltas y vueltas en la cama, exprimiéndose en vano la cabeza para encontrar una solución que le permitiera conservar un gañán.

Cuando al fin comprendió que el mozo era tres veces más listo que él, lo llamó y le dijo:

—Ya me has vaciado bastante los bolsillos. Haz tu hatillo y vete adonde te lleven las piernas. Ya no te necesito más.

—De acuerdo, me iré —sonrió el joven—, pero no me marcharé antes de que me pague los salarios que debe a mis hermanos mayores.

¿Qué podía hacer el granjero? Le gustara o no le gustara, accedió. Se llevó la mano al bolsillo y entregó al mozo todo lo que debía a sus hermanos.

—Y ahora, ¡humo! No quiero volver a verte en la granja. ¡Vuélvete al lugar de donde vienes!

—Tranquilo, patrón, ya me voy –convino el gañán—, pero acuérdese de que cuando me presenté en su casa, fue usted quien me pidió que trabajara en la granja y yo le obedecí. Ahora me ordena usted que deje de trabajar. Otra vez más no respeta usted nuestro trato. Así que tendrá que pagarme todavía un mes más.

El patrón se desgarró las vestiduras de la rabia, pero fue un gesto inútil: el pacto es el pacto, tenía que cumplir con su compromiso hasta el final.

Dejó de nuevo los dólares en la palma de la mano del mozo. Éste sonrió , dio la espalda al patrón y emprendió el regreso.

«La sabiduría vale más que el oro, retén estas palabras, amigo, para no quemarte los dedos, pues a fe mía que donde las dan las toman.»

El astuto carbonero

Cuento tradicional

Un día, mientras estaba en el bosque haciendo carbón de leña, un astuto carbonero se topó con un oso y un jabalí.

—Tengo un hambre canina —dijo el oso al carbonero—. ¡Voy a comerte!

—Querido oso, sé que eres mucho más fuerte que yo y, además, vas acompañado. De todos modos, tengo una última voluntad. Permite que coma en paz mi última comida.

El oso aceptó. Entonces el carbonero sacó pan y salchichas de su bolsa y se puso a comer delante del hambriento oso.

—¡Grrrrr! ¿Qué son esas raíces que huelen tan bien?

—Me gustaría decírtelo, pero, desgraciadamente, ¡no puedo! —respondió el carbonero.

—¡No tengas miedo! —gruñó el oso—quedará entre nosotros.

El carbonero tragó lentamente un último bocado.

—Son salchichas de jabalí —contestó.

Dicho y hecho: el oso agarró al pobre jabalí y lo cortó en trozos.

—Y ahora, astuto carbonero, haz deprisa una de esas suculentas salchichas.

—Encantado, compañero —respondió el carbonero—, pero necesito una hoguera y una olla. También tengo que lavarme las manos, pues están tan sucias que estropearía el sabor de la salchicha.

—Ve corriendo al río —masculló el oso a punto de perder la paciencia.

A su regreso, el sagaz carbonero pidió al oso si le dejaba secarse las manos en su pelaje antes de ponerse a trabajar. El animal aceptó de mal grado.

Un zorro y un lobo se acercaron, atraídos por el olor de la carne. También ellos participaron en los preparativos. El lobo encendió la hoguera, el zorro llevó la olla y el carbonero cortó un haya para avivar el fuego. Hundió dos cuñas en el tronco pero no pudo partirlo, o al menos eso parecía.

—Ayúdame, compañero —dijo al oso—. Nos vendrá bien tu fuerza. Pon las garras en la ranura y tira ¡todo lo que puedas!

—Desconfía de este carbonero —le previno el lobo inquieto—. Es astuto como un zorro.

—Pero como sólo le importaba el hambre, el oso ya estaba tirando con todas sus fuerzas. El carbonero sacó entonces las dos cuñas y el oso se encontró con las patas atrapadas en la rendija.

—¡Qué daño!, ¡qué daño! —gritaba.

—Conozco un remedio para que te olvides del dolor —dijo el carbonero—. ¿No hueles el aroma de la carne caliente?

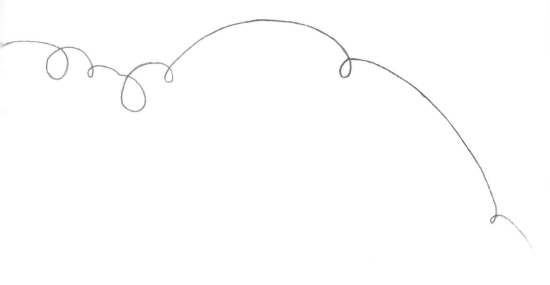

Y cogiendo un pesado bastón, administró al oso el correctivo más grande que jamás había recibido.

El lobo, temiendo recibir también, se marchó con el rabo entre las patas y ya no volvió.

—¡Ya te había dicho yo que desconfiaras de este sagaz carbonero! —gritaba al oso mientras se escapaba a grandes saltos, seguido del zorro que había abandonado la olla.

En cuanto al carbonero, se quedó con la hoguera y la olla, y del pobre jabalí sólo quedaron las salchichas.

Agradecimientos
a los ilustradores

Damos las gracias a todos los ilustradores
que han colaborado en la realización de esta obra.

Por orden alfabético:

*Jérôme Brasseur.*Cubierta, portadilla del título, *Pulgarcito,*
Los siete cabritillos y el lobo, Los músicos de Bremen, El caballo ingenioso,
Dédalo e Ícaro, La enfermedad de Alí, El granjero avaro y el gañán astuto,
adornos de la portadilla «Animales pequeños y grandes»
y las páginas: 7, 8 y 10.

Emmanuel Chaunu

El rey de los pies sucios, La princesa y el porquero, Bu, el horrible Bu,
los adornos de la portadilla de «Travesuras y buenas lecciones»,
y la páginas 10.

Bruno David

El pequeño Alois, el abuelo y las pompas de jabón, El elefante y el ratón,

Jacob Karo, el perrito emborronado y la pequeña ventana de papel,

La nariz llena de oro, Las gafas mágicas y las páginas 8 y 9.

Éphémère

El señor del bosque, La muchacha que se transformó en piedra, Robín de los Bosques y los adornos de la portadilla de «Cuentos de aquí y de allá», y la página 11.

Didier Graffet

La nave voladora, El gusanito que casi consiguió hundir un barco, La belleza que nació de una naranja, La bruja de los cabellos largos, Las tres arpías y el anillo del diablo, lomo y las páginas 10 y 441.

Laura Guéry

La lluvia de oro, La gallinita roja, La mofeta y las ranas,
La calabaza y el caballo y la página 11.

Pauline Lefebvre

El trozo de vidrio encantado, Fresas en pleno invierno,

El carbonero sagaz y la página 12.

Sandrine Morgan

Piel de Asno, Inteligencia y bondad, La princesa y el Viento,
El diablo y Juana la Infernal, El príncipe malo, Barbazul,
Alí Babá y los cuarenta ladrones, El palillo, los adornos de la portadilla
de «Historias favoritas», contraportada y la página 8.

Céline Puthier

La planta peligrosa, El ruiseñor, El león fiel,

La niña de nieve y la página 9.

Emmanuel Saint

Los siete mirlos, Por qué el conejo se esconde en el fondo de la madriguera, Un Decimotercero más listo que el hambre, los adornos de la portadilla «Cuentos de hadas encantadas» y la página 12.

Vincent Vigla

Carolina la Blanca y Carolina la Negra, Historia del sabio y el gallo de oro,
La prueba del sultán Harún al Kebal, La hucha, los adornos
de la portadilla de «Reyes, princesas, diablos y brujas»
y la página 9.